M

DE TES NOUVELLES

AGNÈS LEDIG

DE TES NOUVELLES

roman

ALBIN MICHEL

À mon AnnA-NinApollinE

Il nous fallut bien du talent
Pour être vieux sans être adultes.

Jacques Brel

Ne méprisez la sensibilité de personne.
La sensibilité de chacun, c'est son génie.

Charles Baudelaire

Tu sais…

L'avenir tout tracé prend parfois la tangente…

0

Vous dire que…

Vous allez me prendre pour une garce.

J'aimerais vous en vouloir, mais il y a de quoi. Je me suis moi-même considérée comme telle.

Il est si facile de juger les autres.

Jusqu'au jour où vous vivez la situation personnellement.

Qui peut dire à l'avance qu'il gardera le cap en traversant la tempête ?

J'avais tout pour être heureuse.

Et il a suffi d'un instant, d'une étincelle, pour me pousser vers un chemin sur lequel je savais pertinemment qu'il ne fallait pas que je m'aventure.

Et faire ainsi trembler le futur dont je rêvais…

Je n'ai rien pu faire.

1

Retournement

Ils sont revenus.

Quelques jours avant la rentrée.

Douce fin d'été.

Je savais qu'Éric ne me préviendrait pas de la date. Son besoin inaliénable de liberté. Fixer un jour sur le calendrier doit représenter une contrainte trop arrogante dans son univers sans barrières. L'attente à peine dissimulée qui baignait mon dernier courrier aura fini de le persuader de ne pas me prévenir, peut-être uniquement pour me contrarier.

J'ai déjà éprouvé diverses émotions depuis ce soir de juin quand sa fille et lui ont fait irruption dans ma vie. La surprise en leur ouvrant ma porte ; un violent orage avait endommagé leur roulotte, ils avaient besoin d'aide. Puis l'attirance physique, presque immédiate, pour cet homme. L'attachement envers sa fille m'a ensuite imprégnée sans que je puisse lutter. Le déchirement de les voir repartir, laissant place à l'impatience et l'espoir d'un retour rapide. Et aujourd'hui la surprise, à nouveau. Finalement, elle est savoureuse.

C'est ma chienne qui les a accompagnés le plus loin possible lors de leur départ, il y a deux mois, c'est elle qui est venue les cueillir la première au bout du chemin ce matin. De l'avoir vue partir en courant m'a d'abord intriguée. De l'entendre ensuite japper sa joie au loin m'a décidée à sortir, avec l'espoir que ce soit eux.

Croquette sautillait autour de la roulotte en aboyant et en remuant la queue face aux chevaux impassibles qu'Éric dirigeait consciencieusement sur le chemin bordé de quelques traîtres cailloux.

Anna-Nina, assise sur son petit strapontin à la gauche de son père, s'est mise à me faire de grands signes de la main en m'apercevant, jusqu'à ce qu'elle saute de la roulotte encore en marche à quelques mètres de la cour.

Je ne sais pas si elle a vu les larmes sur mes joues. Elle a couru dans ma direction pour venir se blottir dans mes bras, et son T-shirt en coton les a essuyées dans notre étreinte. Qu'elle ne se souvienne que de mon sourire immense et de mes yeux accueillants. Cela suffit à sa joie de petite fille. La mienne inondait ma poitrine à faire battre mon cœur à se rompre. Je ne sais rien des projets d'Éric, ni où ils vont vivre, ni quelle relation il m'autorisera à construire avec sa fille, ni quelle intimité il voudra bien m'accorder. La relation qui s'est nouée en trois semaines est si incongrue qu'elle nécessite probablement un minimum de remise en ordre pour fonctionner. Mais ils sont là. Anna-Nina intégrera l'école pour goûter à une stabilité qu'elle a jusqu'à présent ignorée, promenée sur les routes de France depuis sa naissance. Son père est un homme de parole. Il me l'a écrit, il le fera. Pour le reste, nous

composerons. J'essaie de ne rien attendre, de ne rien chercher à comprendre. Juste vivre ce qui se présente à moi.
J'essaie.

Anna-Nina s'est ensuite détachée de moi en gardant ses
mains posées sur mes épaules.

– Il est où Gustave ?

– Il doit être chez lui. Il prépare des bocaux. Il sera
heureux de te voir. File.

Elle courait déjà en direction de la maison quand je me
suis relevée pour accueillir Éric comme il se devait. Mais
il ne se devait rien dans ces retrouvailles. J'espérais qu'il
savait comment les mener, parce que je n'en avais pas la
moindre idée. Je me sentais gauche dans ce moment dont
je rêvais depuis des semaines. Cet éternel fossé entre le
fantasme et la réalité.

J'ai sommé mon corps de rester à distance de la roulotte le temps qu'il la stabilise, et d'attendre une initiative
de sa part.

Il attachait les chevaux à l'arbre de la cour avec une
lenteur insoutenable pour moi, peut-être salvatrice pour
lui. Réfléchissait-il à la façon de me saluer ?

Il s'est retourné, a frotté vigoureusement ses mains sur
le haut de son jean pour les débarrasser de la poussière et
de la graisse des chevaux, et m'a regardée avec un sourire
infime. Si infime que j'aurais pu douter de sa présence. Il
a regardé le sol en avançant vers moi, comme pour vérifier où il mettait les pieds. Il les mettait dans ma vie,
les siens et ceux de sa fille. Ce n'est pas rien de mettre les
pieds dans la vie de quelqu'un, alors il pouvait bien analy-

ser méticuleusement le terrain, fouiller, disséquer, sonder chaque caillou et chaque creux dans la terre.

Nous avons été maladroits quelques instants, mais il fallait bien briser les deux mois qui s'étaient insinués entre nous comme une vitre épaisse. C'est sur mon front que se sont posées ses lèvres, comme en juin quand il m'a dit au revoir. Terrain neutre et sans risque. Une tendre affection sans interprétation. Ses bras se sont ensuite refermés sur moi. Il respirait calmement face à mes poumons affolés.

– Je suis heureuse de vous voir, ai-je dit en le serrant à peine plus fort.

– Anna-Nina est excitée comme une puce depuis une semaine. Elle aurait roulé de nuit si je l'avais écoutée.

Ensuite, je ne savais plus vraiment quoi dire. Tant de choses et rien à la fois. Rattraper les semaines d'absence et ne pas l'étouffer d'emblée. Le choc de leur départ m'avait enfin poussée à consulter la thérapeute dont mon amie sage-femme me parlait depuis longtemps, afin de comprendre les aspects de moi qui pouvaient s'avérer pénibles pour les autres. J'avais beaucoup réfléchi depuis cet entretien et je savais aujourd'hui qu'il me fallait redoubler d'efforts pour ne pas retomber dans mes travers, surtout dans un tel moment, fragile et décisif. Je ne voulais pas qu'à peine arrivé il ait envie de repartir. Nous étions en fin d'après-midi, je me souvenais de l'attrait d'Anna-Nina pour les grosses tartines dégoulinantes de confiture. Peut-être avaient-ils faim.

– Un petit goûter d'accueil ?

– Ce n'est pas de refus.

– Je vais préparer un chocolat chaud et couper du pain.

Éric s'est reculé d'un pas pour me regarder. Son sourire s'affirme doucement. De quoi m'apaiser. Il me reste une dernière incertitude que j'ai besoin de dissiper avant que nous nous installions autour d'une table :

– On se tutoie ?

– Je crois que ce sera plus simple, non ?

Il veut abreuver les chevaux, les brosser et s'assurer que la roulotte est bien stabilisée. Cela me laisse le temps de préparer une collation. Et de vérifier dans un coin de miroir si je ressemble à une femme accueillante. L'envie que son désir s'éveille me tord déjà subtilement le bas-ventre.

Comme c'est bon de les revoir.

2

Un couteau dans l'évier

Anna-Nina entre dans la petite cuisine de Gustave sur la pointe des pieds. Elle a reçu la consigne de ne pas lui faire peur, pas l'interdiction de le surprendre. À sept ans, la nuance est subtile, et le plaisir du jeu si intense qu'elle ne résiste pas à la tentation.

Gustave épluche des légumes au-dessus de l'évier en écoutant la radio et en fredonnant la mélodie qui passe à ce moment-là. Anna-Nina attend d'être quasiment à sa hauteur pour lui demander comme si elle avait été là depuis une heure :

– C'est pour faire des conserves ?

Gustave sursaute, manquant de s'entailler la paume. Heureusement, l'épaisseur de sa peau tannée résiste à la lame de l'économe. Il jette le tout, couteau et carotte, dans l'évier pour prendre le visage d'Anna-Nina entre ses mains humides et le balancer de droite à gauche un long moment.

– T'es là, ma princesse ? Vous êtes arrivés quand ?

– Il y a cinq minutes, mais je ne voulais pas attendre pour te dire bonjour.

– Ça, c'est gentil ! Alors vous revenez vivre ici ?

– Il faudra demander à mon papa. Pour l'instant, on est là, mais je ne sais pas ce qu'il a prévu. Je crois que ça dépend de Valentine.

– Valentine sera heureuse que vous restiez, et moi aussi. J'ai plein de choses à te montrer. Il faut que tu voies notre carré de potager. Sans mentir, je n'ai jamais eu d'aussi beaux légumes ! Tu y as mis quoi pour qu'ils poussent comme ça ?

– Je chantais des chansons en plantant les graines et en arrosant. Tu crois que c'est ça ?

– Évidemment ! Quoi d'autre ?

La petite fille regarde le vieil homme avec une pointe de fierté dans les yeux.

– Je peux t'aider ?

– Tu auras plein d'autres occasions de m'aider, ne t'inquiète pas. Vous venez d'arriver, tu dois avoir faim. On va voir si Valentine n'a pas une grosse tranche de pain pour nous.

– Toi aussi, tu as faim ?

– Les travailleurs ont besoin de se sustenter régulièrement.

– C'est quoi, se sustenter ?

– Se nourrir. Et puis, on vient de faire de la confiture de mirabelles.

– Mon fruit préféré !!!

– Copieuse ! Moi aussi ! Allez, viens, ton père mérite aussi un bonjour.

– Et une tartine !

– Il aime la confiture de mirabelles ?

– Il aime tout, mon papa, du moment que c'est sucré, croquant ou que ça a la couleur du chocolat.

– Et toi, tu aimes tout ?

– Oui, sauf le chien, le chat, le lapin et le boa.

– Tu as déjà goûté ?

– Non ! Mais j'ai décidé que je n'aimerais pas, alors je n'ai pas besoin d'essayer.

– Eh bien moi, j'ai décidé de t'aimer !

– Pas pour me manger, hein ?

– Faut voir ! dit-il en saisissant un couteau et une fourchette sur l'égouttoir et en faisant semblant de lui courir derrière.

Anna-Nina pousse un cri d'éclat de rire en quittant la maison. Gustave la regarde s'échapper en remerciant le ciel de l'avoir déposée ici une deuxième fois.

3

Les tartines du retour

Anna-Nina est assise sur les marches en grès rose devant la cuisine. Elle caresse Croquette allongée à ses pieds, la truffe dirigée vers le soleil, les yeux fermés et les babines presque inclinées en un sourire d'extase. La petite a plongé ses doigts fins dans la profondeur des poils et gratte la chienne derrière la tête en lui chuchotant des secrets à l'oreille. Croquette doit ressentir le même plaisir que moi de les revoir.

Gustave s'est assis sur le banc à sa place habituelle, à la table de la cuisine, en attrapant une tasse de chocolat chaud.

– Son père n'est pas là ?

– Il termine de s'occuper des chevaux.

– Tu dois être contente.

– Plus que ça.

– Calme tes chevaux à toi.

– Je sais.

– C'est pas le tout de savoir. Il faut le faire.

– Je fais.

– Je suis heureux qu'ils soient revenus, moi aussi.

– Tu m'aideras pour mes chevaux s'ils sont trop fougueux ?

– Bien sûr. Ton meilleur ami sera là aussi !

– Je ne l'ai pas encore dit à Gaël. Je lui mettrai un message ce soir.

Éric entre, précédé d'Anna-Nina. La franche poignée de main entre les deux hommes se passe de tout commentaire. Et puis ils s'assoient. Retrouvailles masculines simples, concises, sans effusion. Pourquoi s'encombrer de frous-frous émotionnels ? Cela n'empêche pas de capter le plaisir qu'ils ont à se revoir.

Anna-Nina est venue se coller à moi sur le banc et son père se trouve en face. Croquette est allongée de tout son long en travers de l'entrée. Comme ça, de loin, on pourrait voir la famille parfaite, je sais pourtant que le chemin sera long et incertain avant de pouvoir en revendiquer un jour le statut. Mes chevaux sont plus craintifs et prudents que fougueux. Mais pensons d'abord à l'instant présent. Et aux tartines à distribuer.

Soudain, la fillette se lève d'un bond et file en sautant par-dessus le chien, qui se redresse aussitôt pour la suivre. Nous l'entendons à peine maugréer qu'elle a oublié quelque chose dans la roulotte.

– Sustentez-vous sans moi, j'arriiiive ! crie-t-elle depuis la cour.

– D'où connaît-elle ce mot ? demande Éric.

– Sûrement un hurluberlu qui s'amuse à lui apprendre des termes bizarres, lui répond Gustave, le nez dans son bol et le sourire discret.

Elle revient avec deux paquets-cadeaux très fins et très

longs, emballés dans du journal. L'un m'est destiné, l'autre est pour Gustave. Nous les ouvrons en même temps et découvrons chacun un magnifique bâton de noisetier dont l'écorce a été taillée de divers motifs, au couteau.

– Papa m'a offert un Opinel cet été. C'est moi qui ai tout fait toute seule.

– C'est magnifique, lui dis-je en tournant le bâton au fur et à mesure que mes yeux parcourent les décorations.

– Ça vaut double dose de confiture de mirabelles, annonce Gustave en se levant pour l'embrasser.

Il essuie discrètement une larme. Il la mettra sur le compte d'une sécheresse oculaire liée à l'âge si l'un de nous relève sa présence. Il ne peut pas chasser tous les frous-frous émotionnels. Surtout pas avec Anna-Nina. Il aime cette gamine comme s'il était son grand-père et son retour ajoute une lumière dans son quotidien, lui qui dit s'éteindre doucement avec le temps qui passe et la fatigue des années.

4

Ce présent-là

Valentine vient de refermer la porte de la roulotte. Allongé sur le dos, je regarde les lattes de bois au plafond.

J'ai encore chaud, même si nous avons prolongé l'instant en silence un long moment. Pas un mot. Pour quoi faire ? Des phrases auraient brisé la magie.

Nos corps se sont retrouvés avec la même évidence qu'en juin ils s'étaient découverts. J'avais juste envie de goûter ses lèvres à nouveau, de remplir mes mains de ses seins et de sentir nos peaux frissonner.

Je regarde les lattes de bois et je me demande quand j'aurai la réponse à cette question qui me taraude depuis que j'ai décidé de revenir : ai-je fait le bon choix ?

Il faudra du temps, je m'y attends. La réponse se dessinera comme on assemble un puzzle. Au moins un 3000 pièces. De ceux qui nécessitent d'y revenir souvent, de ranger par couleur, de faire d'abord le tour. De le laisser de côté pour mieux y revenir et commencer à voir bientôt un paysage. Le problème du nôtre, c'est que je n'ai pas l'image du résultat final.

Ce soir, mon corps dit oui. Le reste semble suivre son avis.

Je regarde les lattes de bois et je ferme les yeux sur le souvenir de ses soupirs pour m'endormir avec cette image. C'est bon de la revoir. C'est bon de lui donner du plaisir. C'est bon d'en recevoir en retour, sans calculs et sans perspectives.

Que le futur ne s'invite pas trop vite, j'aime assez ce présent-là, même si Hélène y est toujours présente.

Le passé est cependant discret ce soir, j'en profite pour ne penser à rien, sauf à mon corps qui revit.

5

Elle est partie

J'ai laissé Éric dans sa roulotte et, allongée sur mon canapé, je ronronne avec mes chats. Je n'arriverais pas à dormir si j'essayais maintenant. Trop de joie aujourd'hui, trop d'émotions, trop de réjouissance. Et dire qu'il ne faut rien attendre.

J'ai envie de partager avec Gaël. Je sais qu'il dort rarement à cette heure-ci. Je saisis mon téléphone et je tape un petit message :

« Ils sont revenus ! »

Il saura évidemment de qui je parle, lui qui a suivi dans les moindres détails leur arrivée subite en juin, mon attachement à la fillette, mes ébats avec son père et mon chagrin de les avoir vus repartir.

Il répond dans la minute :

« Elle est partie… »

Je suis stupéfaite et n'ose pas comprendre. Leur chien est un mâle, ça ne peut pas être lui. Je feins la naïveté.

« Qui est parti ? »

« Ma femme. Elle est partie ce matin. Je te laisse, je suis épuisé, je passerai demain si tu veux bien. »

« Je veux toujours, tu sais. Je pense à toi. »

Inutile d'essayer d'en savoir plus, il ne répondra pas.

Comment Geneviève a-t-elle pu partir ? Ils semblaient pourtant unis, amoureux. Certes, un couple calme et sans démonstration mais ils étaient attachés l'un à l'autre. Est-ce en raison des égarements sentimentaux de Gaël l'an passé avec l'assistante sociale, qui sont finalement retombés comme un soufflé qu'il n'avait pas encore goûté ? Cela aura-t-il suffi à Geneviève pour motiver son départ ? Je n'y crois pas une seconde. Pas elle, pas lui, pas eux.

Mon moment de plaisir avec Éric a éclaté comme une bulle de savon, ne laissant derrière elle qu'une petite bruine tombante que l'air ne parvient pas à retenir.

Mon meilleur ami, mon collègue, va être à ramasser à la petite cuillère dans les prochaines semaines. Et la rentrée des classes dans quelques jours ne va rien arranger. À moins que cela ne lui change les idées.

Il me faudra quand même une petite cuillère.

6

Un bout d'instinct intact

Le chant d'un coq, porté par un vent favorable, a sonné comme un réveil à cinq heures du matin. La fenêtre ouverte de ma roulotte l'a laissé s'engouffrer dans mes oreilles sans laisser aucune chance à mon sommeil. J'ai décidé de me lever pour aller voir les chevaux puis de courir un peu sur les hauteurs du village. Tant qu'à profiter de cette vie en communauté qui me permet de m'octroyer plus facilement des moments de solitude, autant en profiter dès le premier jour. Anna-Nina, qui a eu la joie de retrouver une chambre en dur dans la maison, doit encore dormir à poings fermés, et Croquette aura repris cette jolie habitude de se coucher sur le tapis du couloir devant sa chambre pour monter la garde et chasser les monstres de sous son lit.

Je cours en pensant à ce retour à Solbach, à cette décision que j'ai prise de nous donner une chance à tous. Celle de l'école pour Anna-Nina, celle d'une relation à construire avec Valentine. Celle de connaître un peu mieux Gustave. Celle pour moi de me tourner vers l'avenir en laissant le passé derrière moi.

Je pense encore beaucoup à Hélène. Morte en donnant la vie, elle me hante comme si son âme rôdait autour de moi en permanence, m'emprisonnant dans une histoire qui ne me permet pas d'avancer. Et je ne sais pas quoi faire pour y remédier. J'accélère ma course en montant la côte qui mène au mont Saint-Jean, afin de mettre à mal mon système cardio-respiratoire. À bout de souffle, on pense moins. Instinct de cerveau reptilien. Tous les neurones sont occupés à survivre à l'effort.

Je m'arrête au sommet sur le petit banc qui fait face à la chaîne des Vosges. La brume qui stagne dans les vallées les remplit comme des bols de lait mousseux et le soleil se lève à l'horizon, projetant ses rayons sur les plus hautes montagnes. C'est vraiment le paradis ici.

Je reprends doucement mon souffle en faisant quelques étirements, avant de poursuivre mon tour. Je n'aimerais pas arriver après le réveil de ma fille. Pas le premier matin.

Une quinzaine de minutes plus tard, en entrant dans la cour de la ferme, j'aperçois Gustave qui sort du poulailler, avec trois œufs dans chaque main et un sourire qui doit m'être destiné.

– T'es tombé du lit ? me lance-t-il.

– Un coq particulièrement enthousiaste !

– C'est celui du Raymond. Pour peu que les vents soient favorables, il réveille la moitié du village.

– Ça ne me dérange pas. Le monde appartient à ceux qui se lèvent tôt, paraît-il.

– Il appartient surtout à ceux qui ont quelque chose à faire en se levant.

– Alors, il doit vous appartenir en grande partie !

– C'est moi qui appartiens au monde. Je ne suis qu'une petite chose dans un univers qui n'a que faire de moi, mais je fais ma part, sans rien demander à personne.

– C'est déjà beaucoup.

– C'est suffisant. Et toi, c'est quoi ta part dans notre vie, en revenant ?

– Je ne sais pas. Pour Anna-Nina, mais je suppose que je ne peux pas raisonner que pour elle…

– Et si tu arrêtais de réfléchir ?

– Pour prendre des décisions, il faut bien réfléchir, non ?

– Ou écouter son instinct.

– Le mien est parti avec Hélène.

– Foutaises ! Il est toujours là, mais tes peurs lui clouent le bec. Peur de mal faire, peur de t'engager, peur de perdre à nouveau. Du coup, tu condamnes en même temps la possibilité d'être à nouveau heureux.

– Sous vos airs de grand-père discret et taiseux, vous ne manquez pas d'analyser la vie des gens !

– Mon instinct à moi…

– Et on fait comment pour arrêter de réfléchir ?

– Allez ! Je vais mettre les œufs dans le frigo de Valentine, elle doit être réveillée. Ne cherche pas la réponse chez elle, elle réfléchit encore plus que toi.

– Chez qui alors ?

– Chez ta fille ! Elle a encore un bout d'instinct intact.

Déchiffre-le avant qu'il ne disparaisse. Elle a les réponses, j'en suis sûr.

Et il s'en va en direction de la maison. Il sait que ses mots vont résonner en moi. En juin, c'est déjà lui qui m'avait bousculé pour que j'arrête de mettre le fantôme de ma femme entre ma vie et le reste du monde.

Je cherche une serviette éponge et je file dans la salle de bains de Valentine, celle du rez-de-chaussée. En passant devant l'escalier, j'entends couler la douche à l'étage. Elle est donc réveillée.

J'essaie de ne penser à rien sous l'eau qui coule sur mon visage, ni aux jours qui vont suivre, ni à cette nouvelle organisation, ni à ce que je vais faire ici. Et finalement, je pense à tout cela en même temps.

Ai-je seulement un jour écouté mon instinct ?

Oui, peut-être une fois, quand j'ai décidé de tout vendre à Paris, d'acheter cette roulotte et deux chevaux, et d'embarquer ma petite de deux mois dans cette vie-là. Nous avons été heureux jusque-là. Mon intuition tient peut-être quand même la route.

7

Paliers de décantation

Le miroir devant lequel je me brosse les cheveux me renvoie de plein fouet les deux pensées qui se battent en duel dans ma tête depuis ce matin : celle d'Éric et Anna-Nina qui sont revenus et celle de Geneviève qui est partie. L'existence ne peut-elle donc pas se contenter des jolies choses pour qu'on en profite pleinement quand elles surviennent ? Doit-elle vraiment mettre son petit grain de sable dans les rouages du bonheur pour qu'il tourne un peu moins rond ? Je pense à Gaël et je ne sais pas comment il va. Mal, forcément. À moins qu'il ne s'accroche à l'espoir qu'elle revienne. J'ai hâte qu'il me rende visite pour tout m'expliquer. Mais je redoute aussi ce moment.

Lorsque je descends à la cuisine, les deux hommes boivent leur café en échangeant quelques mots. Je ne sais pas comment les saluer. Je préfère donc n'embrasser personne, ce que ne manque pas de souligner Gustave :

– Tu ne me dis plus bonjour ? C'est parce que tu ne sais pas comment faire avec Éric devant moi ?

– Tu m'énerves ! lui dis-je en souriant.

– C'est pourtant simple, tu lui fais un bisou, comme à moi, sur la joue.

Je m'exécute en déposant au passage une caresse discrète sur leurs épaules. Je pense à celle de Gaël. À la mienne qui va bientôt servir de contrefort à son château en ruine.

– J'ai une nouvelle étrange à vous annoncer.

Ils me regardent en mâchant leur tartine avec un certain flegme. Deux copines m'auraient déjà demandé de développer, de leur dire à propos de quoi, de qui, d'où je tiens l'information, si j'en suis sûre, et se seraient arrêtées de manger.

– Gaël va venir dans la matinée. Ne vous étonnez pas s'il ne se sent pas bien. Apparemment, sa femme est partie. Je n'en sais pas plus.

– Il n'était déjà pas bien en juin, fait remarquer Éric.

– C'est vrai, mais là, ça risque d'atteindre des sommets.

– Ou un gros creux, précise Gustave. Il s'en remettra. Tout le monde se remet de tout, non ? Il suffit d'y croire.

– Je ne sais pas ce que Gaël est en train de croire en ce moment, mais, le connaissant, ça ne doit pas être reluisant.

– Au moins, il croit en toi, c'est déjà beaucoup !

Anna-Nina dort comme un loir. Probablement la fatigue du voyage et l'excitation du retour. Je charge son père de guetter son réveil si Gaël arrive entre-temps, car je m'absenterai. Nous n'irons pas au Donon, mais au pied de notre arbre, au col de la Perheux, juste au-dessus du village. Un endroit propice aux confidences, doté d'une énergie tellurique apaisante et régénérante pour qui veut bien s'arrêter pour la ressentir et s'en imprégner.

J'entends la voiture de mon ami se garer délicatement dans la cour. Il conduit comme on caresse du velours. Et peut-être plus encore quand il est perdu.

Il a le sourire triste d'un cœur sans joie.

– On va marcher jusqu'à notre arbre ?

– Tu sais que je ne pourrai pas parler en marchant, n'est-ce pas ?

– Moi si ! Mais on peut aussi marcher en silence, non ?

– Moi oui ! Toi, j'ai toujours un doute.

Il n'a pas perdu de son répondant. Le creux de la vague n'est donc pas atteint. Et comme je suis contrariante, je décide de monter dans un silence de cathédrale, à ciel ouvert en l'occurrence, en écoutant les oiseaux et le ruisseau dans le petit fossé qui longe le chemin. Je lui prends la main pour que ledit silence ne soit pas glacial. La sienne me retient quand il a besoin de faire une pause pour retrouver son souffle. Et toujours ce sourire maussade.

Nous mettons vingt bonnes minutes à atteindre notre destination. Il est suffisamment tôt pour que le banc au pied de l'arbre ne soit pas occupé par des randonneurs. Je laisse son cœur retrouver un rythme de croisière. Il me parlera quand il sera prêt.

– Il fait un temps splendide en cette fin août. Les enfants seront encore un peu en vacances mardi, dis-je pour entamer la conversation.

La météo est autrement plus utile pour combler le vide que pour savoir comment s'habiller le matin.

– Elle s'est levée hier en me disant qu'elle partait avec une telle détermination que je n'ai pas su comment m'y opposer. Nous avons parlé pendant qu'elle rassemblait ses

affaires. C'était étrange. Elle ne part pas loin. À Obernai.
Mais elle part.

– Elle t'a dit pourquoi ?

– Pour quelqu'un d'autre.

– Oh.

– J'aurais pu comprendre, ça peut arriver à tout le
monde de croiser le grand amour et d'avoir envie de
refaire sa vie. Regarde, Stéphanie, l'an dernier, ma jolie
assistante sociale. Rien ne s'est passé, mais ça aurait pu si
nous n'avions pas été rongés par le remords. Je tenais à
elle, c'était fort.

– Vu comme ça s'est terminé, il a mieux valu que tu ne
quittes pas tout pour elle, non ?

– Oui. Mais quand même.

– Tu dis « j'aurais pu comprendre », ça veut dire que
quelque chose t'échappe ?

– Je crois que j'aurais préféré qu'elle parte pour un
autre homme.

– Parce que ce n'est pas le cas ?

– Non. L'autre est une femme qu'elle a rencontrée il y
a deux ans, au cours de yoga. Toi, tu te vois avec une
nana ?

– Pour l'instant non, mais il ne faut jamais dire jamais.

– Mais moi, qu'est-ce que je dois comprendre dans tout
ça ? Qu'elle a toujours fait semblant ?

– Peut-être pas.

– Je comprends mieux pourquoi elle ne voulait plus rien
faire avec moi. Dire que j'ai mis ça sur le compte de mes
kilos en trop. Remarque, c'est peut-être pour les deux raisons.

– Je crois qu'elle t'aimait sincèrement. Et peut-être t'aime-t-elle encore, mais elle n'est plus amoureuse. Elle ne peut plus, ça ne correspond pas à sa nature véritable qui a dû se révéler à elle en rencontrant cette femme.

– Oui. C'est ce qu'elle m'a dit. Mais maintenant je suis seul.

– Oui.

– Et je ne sais pas comment je vais survivre à ma solitude.

– Moi non plus, mais je ferai en sorte que tu n'en souffres pas.

– Tu sais bien de quoi je parle…

– Justement, je sais de quoi je parle ! La solitude au quotidien, je l'expérimente depuis des années. À me réveiller seule le matin, à me coucher seule le soir, à n'avoir personne à étreindre quand je fais un cauchemar. Et tu vois, je suis quand même là, et équilibrée.

– À peu près. Et puis, tu n'es plus seule maintenant, Éric est revenu.

C'est vrai, il est revenu. Mais je ne connais pas ses intentions. Alors…

– T'as fini de préparer ta rentrée ? reprend-il.

– Bien sûr que non. Et toi non plus.

– Si, j'ai fini ! J'ai même tous mes cours jusqu'à la Toussaint.

– C'est moche de mentir à sa meilleure amie.

– Et c'est beau de t'avoir…

Il n'en dira pas plus aujourd'hui. Pas à propos de lui, en tous les cas. Les confidences masculines ont besoin de paliers de décantation. Inutile de touiller le fond tout de suite, ça remue trop la vase et ils n'y voient plus rien. D'abord une couche à gratter, laisser reposer, puis gratter la couche suivante. Mais je crois qu'on n'atteint jamais le fond. Ils se protègent avant, les bougres !

Le connaissant, quand nous arriverons, il grimpera directement dans sa voiture pour ne rien montrer à personne d'autre.

À moins que...

8

Les gros câlins en plus

Anna-Nina est descendue en chemise de nuit dans la cuisine, les cheveux emmêlés et les paupières chiffonnées. Le vieil homme est déjà parti dans le jardin.

Elle porte le gros bol en terre à sa bouche quand Valentine franchit la porte d'entrée. Je vois ma fille le reposer immédiatement. Son sourire est prolongé par deux longues traces de lait chocolaté de part et d'autre de la commissure des lèvres. Elle attrape sa serviette et s'essuie avant qu'elles ne s'embrassent.

– Alors ? Comment va Gaël ? demandé-je.

– Je crois qu'il a enregistré la nouvelle sans pour autant l'intégrer. Pas d'effusion.

– C'est un homme.

– Gaël n'est pas un homme comme les autres.

– Peut-être quand même que si ?

Anna-Nina demande de quoi nous parlons. Valentine lui explique le départ de la femme de Gaël, le fait qu'il sera un peu triste dans les prochains temps et qu'il aura besoin qu'on le fasse rire.

– Pourquoi elle est partie s'ils s'aimaient ?

– Tu sais, Anna-Nina, parfois on peut aimer quelqu'un sans être amoureux. Tu comprends la différence ?

– Oui. Être amoureux, c'est comme aimer, mais avec les gros câlins en plus.

– En quelque sorte. Mais il n'y a pas que les gros câlins en plus. Je laisserai ton papa t'expliquer mieux, conclut Valentine en me regardant.

– Et pourquoi moi ?

– Parce qu'une figure paternelle a beaucoup de choses à apprendre à sa fille, y compris le sentiment amoureux.

– Il n'y a que les gros câlins pour faire la différence, non ?

– Ffff ! Dis à ton papa qu'il peut mieux faire !

Puis elle ressort de la maison, probablement pour fuir en me laissant dans les mains une grenade dégoupillée déguisée en petite fille curieuse.

– Papa, tu peux mieux faire !

– Là, maintenant ?

– Ben oui ! Pourquoi pas !

– Tu ne veux pas demander à Gustave ?

– Si, mais Valentine va t'attendre au tournant !

– Je prendrai un raccourci pour l'éviter ! lui dis-je en lui frottant la tête. Mais va d'abord t'habiller et te coiffer avant d'aller en parler avec Gustave.

Je la regarde courir pieds nus vers l'escalier en me demandant ce qu'elle va comprendre de l'amour, à son âge, toute pleine de l'innocence qui me manque désormais. Je ne suis plus un enfant, j'ai vécu l'amour, le grand, et puis le chagrin, terrible et dévastateur. Je la vois courir pieds nus vers des réponses, alors que j'ai envie de lui crier d'enfiler des grosses chaussures de sécurité, pour ne pas se blesser en s'attachant, pour ne pas souffrir comme moi. Mais je ne peux pas, je ne dois pas. Ma fille est en droit de s'ouvrir à aimer et à ce qu'il en coûte, parce que c'est la vie. C'est pieds nus qu'on devrait courir dans la vie. Pieds nus pour tout sentir, la douceur de l'herbe tendre et la violence des cailloux saillants.

C'est ça, la vie. C'est ça, l'amour. C'est courir pieds nus. Savourer quand le sable est fin ou l'herbe douce. Accepter le gravier et parfois le verre pilé. Et se dire qu'on avance malgré tout, quelle que soit la surface. Les écorchures cicatrisent quand même.

Je devrais peut-être enlever mes chaussures, affronter ma peur des cailloux et chercher le velours…

Valentine est-elle une étendue d'herbe tendre ?

9

Je suis d'accord

J'ai emmené Croquette se balader dans la forêt derrière la maison. Je préfère les laisser entre eux, garder une petite distance pour éviter qu'Éric n'étouffe dès son retour. Et puis, j'aime partir en forêt avec ma chienne. Y glaner des pierres, des branches, pour mes créations en céramique. Mais je suis à mille lieues d'imaginer ce que cette sortie me réserve.

Je ne l'attache jamais. Elle est très obéissante, même quand elle aperçoit un chevreuil. Je n'ai qu'à dire « Au pied » et elle arrête de le courser. En revanche, elle a un point faible, une faille, un court-circuit dans son cerveau canin : la nourriture. Quand je la vois s'immobiliser sur le chemin, tendre sa truffe en fermant les yeux et filer instantanément en contrebas, je sais qu'un fumet l'a attirée et que je ne pourrai rien faire pour la retenir. J'ai entendu une tronçonneuse non loin, ça doit être le casse-croûte d'un bûcheron sous un vent favorable. Je m'élance derrière elle en l'appelant, mais en vain. Je distingue effectivement, sur une souche d'arbre un peu plus bas, un sac à dos ouvert et du papier aluminium. Tout en veillant à éviter les branches et les rochers dans ma course, je vois un homme remonter vers Croquette qui farfouille déjà dans les sandwichs. Je déteste ces situations. Je vais devoir m'excuser, sans pouvoir prévoir la réaction du type, qui va sûrement s'énerver et m'insulter. Nous arrivons en même temps à la souche, mais dans ma précipitation à tenter d'atteindre le collier de mon chien, mon pied glisse sur une racine dissimulée sous les feuilles. Mon corps bascule sans contrôle et l'homme me rattrape par le bras et la taille. Je bredouille : « Excusez-moi, je suis désolée… » Je m'attends à ce qu'il me relâche et me repousse dans un geste de colère, mais il maintient son emprise et me regarde sans un mot. Puis il se redresse doucement, mais sans me lâcher, ni de ses bras, ni de ses yeux. Il fait presque deux têtes de plus que moi. Je n'ose plus rien dire, intriguée, presque inquiète. Je sens la puissance de sa main autour de mon bras et l'appui ferme de l'autre contre mon dos. Même en me débattant, je ne pourrais pas m'en défaire. Je suis seule au milieu de la forêt, et ma chienne s'en fiche, elle mange le saucisson au milieu du pain.

Je reprends ma respiration progressivement, sans pouvoir mettre mes yeux ailleurs que dans les siens. Il est trop près de moi, il me regarde comme si j'étais la proie sur laquelle il va fondre. Je suis hypnotisée. Il n'y a pas de colère en lui, aucune agressivité, mais une détermination, quelque chose de plus fort encore, qui m'empêche de parler, qui m'empêche de vouloir partir, qui m'empêche de baisser les yeux. Il est grand et large, et moi si petite, si frêle. Je sens sur ses vêtements humides l'odeur forte du bois, du moteur de sa tronçonneuse, et de la transpiration.

Je ne sais pas ce qu'il va faire de moi et je crois que je n'ai pas peur. Il y a cette énergie chez lui qui m'interdit toute réaction et fait naître en moi un frisson de désir quand il descend sa main sur le bas de mes reins en me serrant un peu plus contre lui d'un geste ferme. Nos visages sont à quelques centimètres et je sens son souffle chaud sur ma bouche. Nos yeux ne se sont pas lâchés. Je ne suis plus dans cette forêt, dans ce village, ni dans ce monde, je suis dans le sien, derrière ce regard vert, sérieux et profond, qui est venu me chercher sans me demander si j'étais d'accord.

Je suis d'accord. C'est comme ça, et j'ignore ce qui me pousse à rester immobile contre cet homme que je ne connais pas. Le corps réfléchit à ma place. D'ailleurs, il ne réfléchit pas. Il vibre et il attend, je ne sais même pas quoi.

Je suis toujours essoufflée, mais ce n'est plus l'effort. Il tient encore mon bras, moins vigoureusement, mais serre un peu plus fort mon corps contre le sien.

Ce sont des voix de promeneurs au loin qui mettent fin à notre étreinte. Je m'entends dire « Viens » à ma chienne en m'éloignant de lui sans pour autant baisser les yeux. Il reste là, debout, les bras le long du corps, et me regarde probablement quand je remonte vers le chemin d'un pas rapide pour fuir cette attirance animale qui me fait presque honte.

Qui est-il ?

10

Comme un solide élastique

Anna-Nina n'a pas mis bien longtemps à se préparer, trop pressée d'aller rejoindre Gustave pour obtenir une réponse à sa question. Elle a enfilé ses habits de la veille, certaine qu'ils parleraient d'amour en remuant la terre. On peut parler de tout en jardinant.

Elle n'aperçoit d'abord que les sabots du vieil homme, dissimulé entre deux rangées de framboisiers. Il porte un seau à fromage blanc vide dont l'anse est accrochée à la ceinture de son pantalon, pour cueillir de ses deux mains libres.

– Salut ! lance-t-elle du bout de l'allée.

– Bonjour ma douce ! Tu as bien dormi ?

– Oui !

– Mais tu n'as pas de seau ? File en chercher un dans la remise et prends une ceinture pour l'accrocher. Je ne vais quand même pas être le seul à travailler !

La fillette s'exécute, joyeuse, et revient en courant quelques minutes plus tard. Elle sait encore où tout est rangé. L'homme possède un sens très efficace de l'ordre et de l'organisation.

– C'est quoi la différence entre aimer et être amoureux ? lui lance-t-elle sans préambule.

– Ça alors ! Tu m'en poses des questions de bon matin ! Pourquoi tu veux savoir ça ?

– Parce que la femme de Gaël l'aime mais n'est plus amoureuse.

– Ah. Et toi, tu en penses quoi ?

– J'en pense que la différence, c'est les gros câlins, mais Valentine m'a dit que c'était plus compliqué et que je devais demander à papa.

– Et ton papa t'a dit quoi ?

– Il m'a dit que tu saurais mieux que lui.

– Il ne se débine pas un peu là ?

– Si ! Mais tu dois avoir plus d'expérience, non ?

– Je n'ai que celle d'un vieil homme qui n'a connu qu'un seul amour…

– Alors c'est quoi la différence ?

Gustave prend le temps de réfléchir. Puis, tout en cueillant les fruits les plus mûrs, il explique à la petite ce qui, selon lui, fait la différence entre aimer une personne et être amoureux d'elle. Ce besoin de l'avoir près de soi, de la prendre dans ses bras. L'envie que les sentiments soient réciproques et éternels. Le manque aussi, quand celle qu'on aime n'est pas là, ou n'est plus là. La déchirure de se dire qu'on ne retrouvera jamais quelqu'un comme elle, car elle est unique. Oui, c'est ça, il en prend soudain conscience : être amoureux, c'est avoir le sentiment que la personne qu'on aime est singulière et irremplaçable, que personne d'autre ne pourra nous combler comme elle le fait, que sa présence rassure et que son absence rend triste parce que l'éloignement tire comme un solide élastique. Qu'au passage, quand il lâche, le coup de fouet sur la joue fait sacrément mal. Il lui explique aussi qu'être amoureux, c'est savoir laisser l'autre libre, si celui-ci a un autre élastique dans sa vie. Et que parfois, c'est justement ça, le vrai grand amour : accepter la liberté de l'autre.

Gustave pense à Suzanne, cette femme qu'il a sauvée des Allemands alors qu'il n'avait que quatorze ans, et qu'il a aimée comme un fou alors qu'elle en aimait un autre, et il commence à voir ses mains un peu floues à travers les quelques larmes naissantes. Il reprend sa respiration et conclut en ajoutant les dernières framboises au sommet du seau :

– Aimer, ma chérie, c'est tenir très fort à quelqu'un et se sentir bien avec lui ou elle. Mais être amoureux, c'est sentir son cœur vibrer autrement, et cogner un peu plus. Tout est dans ta poitrine ou dans ton ventre. Parfois tu ne sais pas trop, tu doutes, mais si tu ne ressens pas ce battement et cette vibration au fond de toi en pensant à l'autre, en le voyant, en étant avec lui, si tu n'as pas l'impression que le temps s'arrête en sa présence et qu'il est si long en son absence, alors c'est que tu n'es pas vraiment amoureux. L'amour, c'est une vibration. C'est une évidence. Ce n'est pas ta tête qui te prévient, c'est ton corps ! Si tu commences à avoir besoin de réfléchir pour savoir si tu es amoureuse ou pas, c'est que tu ne l'es pas.

– Et toi ? T'es amoureux ?

– J'ai aimé une femme, il y a très longtemps. Je l'ai aimée au premier instant, et je n'ai jamais cessé de l'aimer. Mais elle avait un autre élastique. Aujourd'hui elle est morte et je l'aime encore. Des amours comme ça, on ne peut pas en avoir beaucoup dans une seule vie, tu sais...

11

Un raccourci nommé Gustave

Croquette trottine à côté de moi sur le chemin de la maison. Elle est un peu perdue depuis hier, à ne plus trop savoir vers qui aller, qui suivre, avec qui jouer, partagée entre ses habitudes de chien calme et l'envie de se frotter à la nouveauté. Et moi je suis perdue depuis cette rencontre dans la forêt. Je ne comprends pas ma réaction, je ne comprends pas pourquoi la situation m'a échappé. J'aurais dû lui dire de me lâcher, m'excuser et partir. Mais mon corps est resté. Ce que j'ai ressenti là est nouveau pour moi. J'ai eu du désir pour Éric, la première fois en juin, quand je me suis introduite dans sa chambre, puis sous ses draps, alors que nous ne nous connaissions pas. Mais pas cette vibration. Pas cette brûlure insensée dans le bas du ventre.

Je me demande même si je n'ai pas rêvé. Mais non. Il était bien là. J'ai bien glissé sur cette racine. Je fourre mon nez dans mon T-shirt juste avant d'entrer dans la maison. Il y a encore l'odeur forte du bois, de l'essence, de l'homme contre lequel j'étais collée. Et revoir la scène ravive la brûlure. Je respire profondément pour retrouver une contenance avant de pousser la porte.

Éric est encore assis à la table de la cuisine, une tasse entre les mains. Il la repose quand je m'assois en face de lui.

– Alors, tu as su lui expliquer ? lui demandé-je, l'air de rien.

– J'ai pris un raccourci.

– Quel raccourci ?

– Gustave !

– Tu l'as envoyée demander à Gustave ???

– Je suis un lâche ! dit-il en souriant. Ça va, toi ? Tu es toute nerveuse par rapport à tout à l'heure.

– Oui, oui, ça va. J'ai un peu couru dans la forêt. Et donc, tu penses que Gustave saura mieux répondre que toi !

– J'ai l'impression que j'ai l'amour triste et que je n'ai que ça à lui donner comme image.

– Gustave n'a pas eu une vie amoureuse très épanouie, soit dit en passant.

– Oui, mais il a vécu un bel amour avec lequel il semble en paix.

– Je n'en suis pas si sûre. Et toi ? Tu ne crois pas qu'il serait temps de la faire, la paix, avec ce qui s'est passé ?

– J'ignore comment.

– Tu as prévu quoi pour ce retour ici ?

– Je ne sais pas, je n'y pense pas.

– Ah.

– Enfin si, j'y pense tout le temps, mais je tourne en rond. Je suis revenu pour Anna-Nina. Elle en avait besoin.

– Et pas pour moi ? Ni pour toi ?

– Je ne sais pas, Valentine. Je pense que si. Mais j'ai besoin de temps pour en être sûr.

– Tu as besoin d'être sûr pour vivre les choses ?

– Pas toi ?

Anna-Nina choisit ce moment-là pour faire irruption dans la cuisine avec son seau plein de framboises. Je soupire de soulagement.

Éric lui demande ce qu'elle compte faire de ses framboises. Elle hésite entre un pot de confiture, une tartelette, ou les manger comme ça, tout simplement. Son père commence à piocher dans le récipient, ce qui la fait opter pour la dernière solution. La simplicité a parfois du bon. Il lui demande ensuite si Gustave a su répondre à sa question.

– Évidemment ! Gustave sait tout !

– Ah, et il t'a dit quoi ?

– Qu'être amoureux, c'est avoir le corps qui vibre et entendre cogner son cœur accroché à un gros élastique solide.

Nous nous regardons, lui et moi, en nous posant la même question : qu'est-ce que Gustave a bien pu lui raconter, et surtout, qu'en a-t-elle compris ?

Mais après tout, l'amour, on l'apprend seul, quand il nous tombe dessus. Et on apprend aussi à le regarder partir, à avoir du chagrin, puis à se relever, pour retomber amoureux. Anna-Nina apprendra comme les autres, entendra le cœur qui cogne et le corps qui vibre, l'élastique qui attache et parfois qui claque, le chagrin puis l'oubli. Et l'éternel recommencement. À croire que la recherche d'amour est la seule quête véritable de toutes nos existences puisqu'on recommence inlassablement malgré la peine.

Et moi, tout à l'heure, c'était quoi ? Certainement pas de l'amour. Et pourtant le corps vibrait, le cœur cognait et un élastique m'empêchait de partir. Était-ce de l'ordre de la chimie ? Ou des ondes vibratoires ?

Je ne veux pas cela. Je ne veux pas m'égarer, perdre mes moyens, me voir partir en vrille comme un avion qu'on ne pilote plus dans la tempête.

Je veux être plus forte que la brûlure dans le ventre, et choisir de l'éteindre quand la situation voudrait que je la maîtrise.

Alors pourquoi je revois son visage, ses yeux, pourquoi je sens encore ses mains ?

12

C'est un homme, tu sais

Assis sur le canapé de Valentine, j'attends qu'elle redescende de l'étage, où elle est partie dire bonne nuit à ma fille. J'y étais avant elle, léger d'entendre qu'elle est heureuse que nous soyons revenus.

Les deux chats de la maison ronronnent autour de moi dans une harmonie vibratoire assez étonnante. Cela a le même effet sur mon ventre que quand je jouais de la musique.

Un peu plus tôt, j'ai préparé les tasses, les herbes sèches de thym citronné et l'eau bouillante dans la casserole. Je n'ose plus bouger pour finir d'installer le plateau sur la table basse, de peur de briser la séance de ronronnement, sans savoir si ce sont les chats que je cherche à préserver de cette rupture, ou moi.

Valentine descend à pas de loup l'escalier grinçant et poursuit machinalement la préparation des tisanes comme si c'était elle qui avait commencé. L'harmonieuse continuité d'un vieux couple dont les deux entités ne feraient qu'un. Un frisson parcourt mon échine. Nous sommes tout sauf un vieux couple. Il est même plutôt jeune, et j'ai autant envie d'elle qu'hier soir. Probablement une question de temps perdu à rattraper. D'abord la tisane. Nous aviserons pour la suite.

– Et pour toi, sérieusement, c'est quoi la différence entre aimer et être amoureux ? me balance-t-elle en versant l'eau bouillante sur mon sachet de feuilles sèches.

– Les gros câlins ?

– Sérieusement !

– Je suis assez d'accord avec le corps qui vibre et le cœur accroché à un élastique.

– Gustave te sauve la mise.

– Je ne sais pas parler d'amour ! Les hommes s'en sortent assez mal dans cet exercice de haute voltige, non ?

– Ils préfèrent le faire.

– Parce que les femmes préfèrent en parler ?

– Les femmes préfèrent le faire puis en parler. Ou inversement !

– Pour quoi faire ?

– Pour être sûres ! répond-elle sans hésitation.

– Sûres de quoi ?

– D'être vraiment aimées.

– Mais si on vient de leur faire l'amour…

Et là, je la vois me regarder avec un sourire naissant. D'accord. Je comprends. Aucune femme n'est dupe et elle prend toujours le risque de tomber sur un homme qui fasse l'amour sans aimer. Mais est-ce vraiment l'apanage des hommes ? Les femmes ne sont-elles pas, elles aussi, parfois sujettes à une attirance purement physique et passagère ? Et puis, on s'en fiche un peu, non ? Du moment que chacun consent.

Valentine m'annonce qu'elle ne va pas trop tarder ce soir, car elle doit préparer la rentrée. Je ne doute plus du travail que représente le métier d'instituteur. Anna-Nina est pressée de retourner à l'école. Finalement, je me réjouis de la voir s'y épanouir. Les quelques jours en fin d'année s'étaient bien passés, pourquoi n'en serait-il pas ainsi pour la suite ? Par ailleurs, elle ne sera pas avec Valentine, ce qui sera peut-être plus simple à gérer pour moi. L'idée qu'elles passent toutes leurs journées ensemble me semblait excessif. Elle retrouvera Gaël, qu'elle apprécie beaucoup. À condition qu'il ait le cœur à enseigner.

— Ton ami ira suffisamment bien pour assurer la rentrée ?

— Il sait faire la part des choses. Et il aime les enfants, ils lui changeront les idées. Il attendra le soir pour pleurer le départ de sa femme.

— Tu crois qu'il va pleurer longtemps ?

— Je ne sais pas. Je connais un homme qui pleure encore sa femme sept ans après.

— Ah oui, c'est long ! Il doit être malheureux, le pauvre.

— Pire que ça…

— Mais pourquoi pleure-t-il encore sept ans après ?

— Alors ça ! C'est une bonne question ! Il faudrait lui demander.

— Tu n'as pas une petite idée ?

— Si, mais j'hésite à lui dire. Pas sûre qu'il le prenne bien.

— Il doit savoir faire la part des choses, lui aussi ?

— C'est bien pratique de se morfondre dans des histoires anciennes pour ne pas en vivre de nouvelles.

– Et pourquoi aurait-il peur de l'avenir ?

– Parce que quand on se blesse, on devient méfiant. C'est valable pour un maréchal-ferrant avec un cheval fou, comme pour un cœur qui a saigné. Et pourtant, on cicatrise.

– Il n'a peut-être pas les moyens de cicatriser.

– Tout cicatrise, surtout quand une petite fille le tire vers l'avant.

– Ah, parce que en plus il a une petite fille ?

– Oui, une petite princesse de sept ans qui ne demande qu'à vivre sa vie pleinement, avec un papa joyeux.

– Alors c'est assez incompréhensible de s'accrocher au passé.

– C'est ce que je me tue à lui dire.

– Il n'entend peut-être pas…

– Il faut que je lui dise plus fort ?

– Ou plus souvent.

– J'ai peur de l'ennuyer avec mes conseils de femme, c'est un homme, tu sais…

Bim !

Je n'ai même pas le temps de répondre, Valentine est déjà debout avec les tasses vides en main, les dépose dans l'évier et rejoint son bureau en me proposant de rester, mais en précisant qu'elle sera d'une compagnie studieuse et donc ennuyeuse.

Je l'embrasse dans le cou, alors qu'elle est déjà sur ses cours, et lui souhaite une bonne nuit malgré tout.

Je vais aller jouer un peu de guitare dans la roulotte. Je suis content d'avoir retrouvé mes instruments. Je les avais laissés chez mes grands-parents. À la mort de mon grand-père cet été, je me suis dit qu'il fallait que je remette quelques notes de musique dans notre vie. Deux crochets sur le seul mur vide de la roulotte et elles nous accompagnent depuis. Ma fille ne savait même pas que j'en jouais. Je crois bien que j'avais son âge quand j'ai commencé à caresser la guitare folk de mon père. J'avais mal au bout des doigts à trop appuyer sur les cordes métalliques, mais j'aimais le son, la vibration, les progrès que je faisais. Je ne me suis jamais arrêté. Sauf à la mort d'Hélène. À chaque fois que j'essayais de jouer, je voyais instantanément son visage souriant quand elle m'écoutait. Elle vibrait en même temps que les cordes. Souvent, nous faisions l'amour ensuite, tant elle était chamboulée.

J'essaie quelques accords depuis un mois. Je progresse donc dans mon travail de deuil. N'en déplaise à Valentine qui pense le contraire, ou qui voudrait que ça aille plus vite.

Cela dit, sept ans, c'est vraiment beaucoup. Elle a raison. J'ai probablement peur de souffrir à nouveau. Mais on ne peut pas vivre en se protégeant de tout. On ne peut pas avoir le plaisir de l'attachement sans la peur de perdre. Le son d'une guitare sans la douleur au bout des doigts. Le corps moite de Valentine sans chasser l'image d'Hélène.

Le corps moite de Valentine…

13

Perdre pied

Je suis allongée dans mon lit, mes préparations finies. Je suis épuisée et pourtant mes yeux ne se ferment pas. Je pense à Éric. Nous nous sommes retrouvés, quelque chose colle entre nous, d'ordre physique, et humain. Je me dis qu'il n'est pas revenu pour rien, pas seulement pour sa fille. Sinon, il ne m'aurait pas fait l'amour dès le premier soir, il n'aurait pas laissé Anna-Nina s'installer dans la petite chambre à l'étage, en face de la mienne, il n'aurait pas lâché les chevaux dans le champ plus haut. C'est bien qu'il envisage de rester.

Et je pense à l'homme de la forêt, qui a révélé un désir inconnu en moi, dont je n'arrive pas à me détacher. J'essaie de le sortir de ma tête, de me raisonner. Je ne sais rien de lui. Je ne le reverrai peut-être jamais. Et même si je le revois, tout cela est ridicule. Il n'a rien à faire dans ma vie.

Mais l'attirance était là, même si je n'ose pas me l'avouer. Différente, puissante, instantanée, sans avenir. Presque dangereuse, de celles qui vous font perdre pied.

Je n'imaginais pas qu'une telle sensation fût possible.

Et je me retrouve ce soir à tenter de chasser cet inconnu de mes pensées, sans même y arriver.

Sans même y arriver.

J'attrape mon T-shirt au fond du panier à linge, dans un coin de ma chambre. Son odeur de forêt est tenace. Ou bien est-ce mon désir, qui en saisit la moindre petite molécule ?

Je jette ce maudit bout de tissu à l'autre bout de la pièce et je ferme les yeux sur l'image d'Éric et Anna-Nina, sur l'avenir que j'ai envie de dessiner devant moi, avec eux.

14

Vendanges tardives

Les veilles de prérentrée sont toujours très compliquées pour moi. Partagée entre le plaisir de retrouver mes élèves et la difficulté de reprendre un rythme qui m'éloignera de mes activités d'été, qui me font un bien fou, mais ne me nourrissent pas, du moins pas mon compte en banque. Le jardin produira encore tous les légumes d'automne, mais c'est Gustave qui assurera le plus gros du travail, mon tour de potière tournera moins souvent et mes couteaux à bois dormiront sur mon établi.

Je profite généralement de ce dernier jour de vacances pour puiser tout ce que je trouve dans le potager, faire un festin, en congeler une bonne partie pour les jours où l'école ne me laissera pas le temps de cuisiner.

Et savourer les derniers instants de vacances.

Évidemment, j'ai invité Gaël. Les autres années, il préférait passer ce dernier jour avec Geneviève, mais là, il a accepté.

Évidemment.

Et puis cette année, je cuisinerai également pour Éric et Anna-Nina.

Une jolie tablée, que j'espère joyeuse, malgré la tempête dans la vie de mon meilleur ami.

Pour l'instant, ladite tablée, hormis Gaël, termine le petit déjeuner pendant que j'expose le programme pour que chacun trouve une occupation et que cette journée soit agréable. Anna-Nina viendra avec moi récolter les légumes et cueillir les fruits disponibles pour un savoureux dessert. Gustave me fournira les œufs nécessaires et ira chercher quelques litres de lait chez la voisine, la seule à avoir encore une vache dans la vieille étable, derrière la maison.

Éric se propose de dresser une jolie table au pied du marronnier. Pour l'ombrager, il attachera une grande toile aux branches de l'arbre et au toit de sa roulotte. Je vois cela comme un symbole, un trait d'union entre ma vie et la leur.

Gaël me dit que je trouve des signes partout et que je devrais être plus pragmatique. Il me fait rire, il est pareil. Quand il est tombé amoureux de Stéphanie il y a quelques mois, il voyait des signes partout dans leur relation, souvent ceux qui l'arrangeaient. J'avais beau essayer de lui ouvrir les yeux sur la réalité, ils étaient déjà écarquillés en direction de cette femme, il était aveugle au reste.

Je le vois arriver au bout du chemin. Il est matinal et, comme plus rien ne le retient à la maison, autant qu'il vienne éplucher mes légumes. Je suis vraiment triste pour lui, et c'est en cela, je crois, qu'on mesure l'amour que l'on porte à quelqu'un. Avec Gaël, c'est au-delà de la sympathie. J'ai l'impression de vivre les choses avec lui. Il a mal, j'ai mal. Il rit, je ris. Il est heureux, je suis heureuse. Je vais donc tout faire pour qu'il aille bien.

– J'ai apporté un gewurztraminer vendanges tardives, dit-il en claquant la portière de sa voiture.

– Un seul ?

– Arsouille ! Nous ne sommes que quatre adultes ! Et j'ai aussi de la bière.

– Tu n'as pas prévu de te saouler la veille de la prérentrée ?

– Ça marche pour oublier ses malheurs ?

– Non !

Je l'embrasse et le prends dans mes bras longuement. C'est plus efficace que l'alcool et meilleur pour les coronaires et le foie.

– Qu'est-ce qui marche ? poursuit-il.

– Le temps. Tu penses encore à Stéphanie, ton assistante sociale ?

– Moins.

– Tu vois !

– Oui, mais Geneviève, c'est ma femme.

– Ce sera sûrement plus long. Et elle fera toujours partie de ta vie. C'est le chagrin qui finit par passer. Quand elle sera devenue une douce mélancolie, tu auras plaisir à penser à elle.

– Et en attendant ?

– En attendant, on a la moitié du potager à éplucher. Parle-leur, ils te changeront les idées.

– À qui ?

– À mes légumes.

– T'es folle ! conclut-il en me serrant un peu plus fort.

C'est Anna-Nina qui nous décolle de notre étreinte en arrivant à toute allure de la maison. Elle n'a pas encore vu Gaël depuis qu'ils sont revenus. Et comme elle est entière, sincère, et sans barrières, elle ne s'embarrasse pas de l'idée qu'il sera son maître d'école dans deux jours et lui saute au cou sans ménagement. Les yeux fermés et le sourire de Gaël en disent long sur la capacité qu'ont certains enfants à transmettre de l'insouciance.

Éric suit quelques instants plus tard. Ils se contentent d'une poignée de main et de quelques mots. Je les vois opter pour un tutoiement immédiat. Et dire qu'Éric n'y arrivait pas avec moi.

Je propose à Anna-Nina de filer chercher des passoires à la cuisine pour partir en quête d'une « récolte opulente ». Moi aussi, je peux lui apprendre des mots nouveaux. Pendant ce temps Gaël aidera Éric à installer la toile qui nous offrira l'ombre nécessaire à cette journée chaude et ensoleillée. La dernière où nous pouvons encore souffler.

15

Le même cœur cassé

Cette journée qui s'installe s'annonce douce et joyeuse. Comme une famille. De celles qui s'entendent bien et qui partagent un peu de complicité. Je ne connais pas Gaël mais il semble jovial malgré le contexte. Peut-être appartient-il à cette catégorie de gens capables de faire bonne figure avec les inconnus et de proposer un sourire de façade pour cacher la piscine de larmes qui stagne derrière. Je ne sais pas si j'en fais partie. Parfois, on pense réussir à dissimuler ce qu'on ressent et c'est pire encore. Je n'ai jamais aimé montrer mes faiblesses, mais depuis la mort d'Hélène, toutes mes barrières sont tombées. Je n'en avais plus rien à faire. Je n'avais plus la force de penser au jugement des autres.

Valentine et Anna-Nina sont parties au jardin en se donnant la main. Guillerettes l'une et l'autre. Comment ont-elles fait pour s'adopter aussi vite en juin ? Gustave s'en est allé chez la voisine avec son pot à lait et une grosse botte de carottes en échange. L'esprit de la campagne, la solidarité et le partage. J'ai mis sept années à réapprendre les bases. Je m'étais laissé embarquer dans le mouvement des gens des grandes villes, pressés et anonymes, solitaires et fermés, qui ne laissent plus leur place aux personnes âgées dans le bus, alors faire du troc avec des légumes…

Je propose à Gaël de m'aider à tendre les cordes pour accrocher la toile. Il est grand, il n'aura pas besoin d'escabeau. Il saisit la première et entoure une des branches basses du marronnier avant de réaliser un nœud solide. Pendant ce temps je fixe une autre extrémité à l'une des poutrelles du toit de ma roulotte. Lorsque je me retourne, il est déjà en train d'attacher la troisième corde à une autre branche de l'arbre.

C'était bien plus rapide que je ne pensais.

– Tu veux voir ma roulotte ? dis-je avec l'impression amusante d'être le gosse qui propose à son copain de lui montrer sa chambre.

– Avec plaisir ! Depuis le temps que Valentine m'en parle.

– Elle t'a dit quoi ?

– Que c'était coquet et confortable. Et que tu avais tout ce qu'il faut pour y vivre heureux.

– Pas tout, sinon, je ne serais pas revenu.

– Il y a quoi ici que tu n'as pas dans la roulotte ?

– La stabilité.

– Oh, tu sais, on peut perdre l'équilibre même dans la stabilité.

Je précède Gaël dans le petit escalier de trois marches. Il n'ose pas monter. Il a peut-être peur de faire pencher le véhicule. Je lui précise que les suspensions sont à toute épreuve, ce qui le décide enfin. Et en effet, elle tangue à peine sous nos deux poids. Il se baisse pour franchir le seuil de ma porte-fenêtre et doit se sentir à l'étroit comme un enfant dans une maison de poupée. Il regarde autour de lui pour éviter de se cogner. Il est vrai que j'ai optimisé l'espace et que quelques étagères sont dangereusement saillantes en hauteur. Avec le temps, moi je les connais par cœur.

Il remarque aussitôt les deux guitares accrochées aux lambris.

– Tu joues des deux ? demande-t-il.

– Je viens seulement de recommencer. Je n'ai pas pu pendant sept ans. Je gratte plutôt ma guitare classique depuis cet été. La guitare électrique est un peu plus difficile à pratiquer seul dans une roulotte. Mais j'en jouais dans mon groupe de rock.

– Tu avais un groupe ?

– Oui, quand j'avais la vingtaine.

– C'est drôle, moi aussi, répond Gaël, qui se détend soudain.

– Et tu jouais de quel instrument ?

– Batterie.

– Tu as arrêté ?

– Elle est restée chez mes parents. Je joue par-ci par-là quand je vais chez eux, mais rien de très sérieux.

– Ça te ferait peut-être du bien en ce moment ?

– Tu n'as pas arrêté durant sept ans ?

– Je le regrette, ça m'aurait sûrement changé les idées.

– Je verrai. Le cœur n'y est pas pour l'instant.

– Je comprends.

– Tu es bien placé pour comprendre. Et dire que j'ai la

chance qu'elle m'ait juste quitté pour une autre, dit-il, un peu honteux.

– Ça fait quand même mal. Renoncer fait toujours mal.

– Gustave aussi a dû renoncer.

– Ça fera une sacrée tablée.

– C'est bizarre, ajoute Gaël, trois hommes, trois histoires différentes, et le même cœur cassé.

– Preuve que ça n'empêche pas de vivre. Gustave est là et il va bien, je suis là et je vais globalement bien, on a juste pris un peu d'avance sur toi, mais tu finiras par aller bien.

– Si tu le dis.

Gaël n'a pas l'air convaincu. Je ne le serais pas non plus. Et moi, vais-je si bien que ça ? N'ai-je pas toujours autant l'impression de trahir ma femme quand je fais l'amour avec Valentine ? Toujours autant l'impression de me réveiller le matin avec ce vide qui m'entoure ? L'impression de ne pas trouver les bonnes réponses à mes questions ? Ni le plaisir de vivre ?

Je peux bien donner des leçons théoriques, je suis moi-même nul en pratique. Mais il est toujours plus facile de réfléchir pour les autres que d'agir pour soi.

16

C'est solide un papillon

La matinée a été délicieuse. Anna-Nina l'a beaucoup comblée de tout ce qu'elle a à dire, sur tout, tout le temps, comme beaucoup de petites filles de son âge. Gaël l'écoutait, amusé, en particulier en la voyant se contorsionner parfois dans tous les sens tout en parlant. Comme si les enfants avaient besoin d'évacuer leur énergie motrice pour se concentrer sur la pensée qui jaillit. Anna-Nina est capable de me raconter une anecdote de sa vie la tête en bas et les jambes en l'air sur le dossier du canapé, et d'enchaîner diverses postures toutes plus tordues les unes que les autres. Peut-être que les gamins ont leur yoga à eux. J'ai dû faire la même chose. Aucun enfant ne raconte une histoire assis, les mains sur les genoux, sans bouger.

Mon ami a fini la matinée avec une montagne d'épluchures devant lui, satisfait du travail accompli et la tête probablement un peu moins pleine de pensées tristes. De ces épluchures-là aussi il faut se débarrasser. Ses idées noires vont rendre mon compost acide !

Nous sommes ensuite passés à table entre la roulotte et le marronnier, sous la toile trait d'union, à l'ombre, mais au soleil de la simplicité qui baignait cette petite réunion de pré-prérentrée presque familiale.

C'est au dessert, en mangeant sa part de tarte aux mirabelles, que Gaël s'est mis à parler. J'étais surprise, il n'avait plus aucun filtre, aucune gêne vis-à-vis d'Éric, de Gustave ni d'Anna-Nina. Il parla comme si nous étions tous des amis intimes, dignes de confiance. Je ne sais pas s'il le ressentait réellement ainsi ou si le mélange vendanges tardives-bière y était pour quelque chose. Toujours est-il qu'il a baissé les yeux sur sa tarte et qu'il s'est mis à faire un long monologue sans que personne n'ose l'interrompre :

– Je crois que je suis à un important tournant de ma vie. Si je ne fais rien de percutant, là, maintenant, je vais me perdre. Je n'ai pas la force, en l'état actuel des choses, de continuer ainsi. Il faut que je change. Pas mon métier, je ne sais rien faire d'autre, et j'aime les enfants. Non, il faut que je change de maison, de rythme, et de corps. Geneviève ne reviendra jamais. Ça ne sert à rien que je l'attende. Ça veut dire que si je ne veux pas finir seul, et je ne veux pas finir seul, il faut que je m'ouvre à l'idée de rencontrer quelqu'un d'autre. Vous devez vous dire que c'est bizarre de raisonner comme ça, si tôt, si vite, mais quand on tombe de vélo, il paraît qu'il faut repartir tout de suite, je me dis que quand on tombe tout court, il faut se relever immédiatement, sinon, on s'enlise. Mais moi, j'ai l'impression que je ne peux pas me relever comme ça, sans aide, parce que je suis trop triste, trop fatigué, trop lourd, trop peu attirant pour espérer que quelqu'un veuille bien se retourner sur moi et que je lui donne envie de me sourire. Qui voudra de moi comme ça ? D'ailleurs, je me demande bien pourquoi Geneviève est restée si longtemps. Je dois être un peu gentil quand même pour être supportable, mais ça, ça se sait quand on me connaît, ce n'est pas écrit sur mon front. Pour l'instant, je suis juste un gros type triste qui ne sait pas trop quoi faire ni de son corps, ni de son cœur, ni de sa vie, parce que le premier est trop encombrant, le deuxième brisé. Je sais aussi qu'avant de pouvoir aimer quelqu'un, il faut s'aimer soi, les grandes théories psy, probablement justes, mais très pénibles à accepter, surtout quand ce n'est pas le cas. Voilà, j'en suis là. Je ne sais pas pourquoi je vous dis tout ça, mais il fallait que ça sorte.

Nous sommes tous restés bouche bée après cette tirade déterminée et désespérée. C'est Anna-Nina, avec l'innocence de l'enfance, qui a rompu le silence avec une simplicité déconcertante :

– Pourquoi tu veux changer de maison et de corps ?

– Parce que dans ma maison, il y a le souvenir de ma vie d'avant, et que je veux fabriquer une vie d'après. Et que je n'ai pas assez d'amour pour mon corps pour laisser la chance à quelqu'un de l'aimer.

– T'es comme un escargot qui veut changer de coquille, en fait, a-t-elle répondu.

– Oui, je veux changer de coquille et je veux que l'escargot se transforme en papillon pour se sentir plus léger et prendre de la hauteur.

– Mais si tu deviens un papillon, tu deviendras tout fragile et on ne pourra plus te serrer aussi fort dans les bras.

– Que tu crois ! C'est solide, un papillon.

– Alors je suis d'accord. Maintenant, il faut trouver une autre maison et un autre corps, a-t-elle conclu en se tournant vers nous pour obtenir notre approbation.

Je regardais Éric, aussi amusée par l'aplomb de sa fille que triste pour mon ami. Du haut de son mètre quatre-vingt-cinq et de ses cent quinze kilos, Gaël me faisait l'effet d'une petite souris au pied d'une montagne. Et quelle montagne !

– Tu sais, ai-je précisé, pour votre maison, là où elle est située, tu arriveras à la vendre facilement. De toute façon, tu n'as pas trop le choix pour donner sa part à Geneviève. Tu pourrais venir loger dans le village. Il y a un petit gîte chez madame Marsan. Elle ne le loue quasiment pas, elle serait peut-être ravie de te le proposer à l'année.

– Et pour changer son corps ? a interrogé Anna-Nina.

– Tu as besoin de quoi, Gaël, pour perdre du poids ?

– J'ai besoin d'aide. J'ai besoin de me sentir moins vide pour arrêter de me remplir en vain. Je ne t'ai jamais dit, Valentine, mais je ne fais pas cent quinze kilos, j'en fais cent vingt-cinq, peut-être même un peu plus. Je n'ai jamais osé te l'avouer. J'ai besoin qu'on me file des coups de pied au derrière, j'ai besoin d'apprendre à manger autrement. Mieux. Moins. J'ai besoin de bouger. Plus. Et de rire.

– Eh bien, a proposé Anna-Nina, Valentine peut te faire à manger parce qu'elle sait cuisiner tous les légumes de la terre, Gustave peut te filer des coups de pied au derrière parce qu'il a des grands pieds, papa peut te faire bouger, il fait plein de sport, et moi, je peux te faire rire, parce que je suis rigolote.

Tout le monde a souri.

Gaël finit de saluer l'assemblée. Je l'attends près de sa voiture. Je veux être la dernière, évidemment. Croquette trottine derrière lui, alors qu'il se dirige vers moi. Il semble apaisé. Il a passé une bonne journée, il a vidé son sac comme s'il laissait quelques lourdes pierres ici. Il s'apprête à me dire merci, mais je ne lui en laisse pas le temps :

– Tu sais, je suis vraiment sérieuse. Je connais bien madame Marsan. Je peux aller la voir demain. Anna-Nina a raison. Tu pourrais venir manger ici, je peux te cuisiner des plats diététiques, Gustave est le spécialiste des coups de pied au derrière, et Éric pourrait te faire bouger un peu. Quant à te faire rire, on peut tous s'y mettre.

– Mais je ne vais pas venir m'imposer dans votre vie comme ça !

– Et pourquoi pas ?

– Parce que vous avez mieux à faire.

– Mieux à faire qu'aider un ami ? Non, vraiment, je ne vois pas.

– Mais je ne suis que ton ami à toi.

– Les amis de mes amis sont mes amis, souviens-toi de ce que tu racontes à tes CM en maths !

Il est monté dans sa voiture en me lançant « On verra », ce qu'il balance généralement quand il ne sait plus quoi dire d'autre, ou qu'il n'a plus envie de parler. Sa voiture est partie en laissant deux traces dans les graviers, celles du poids de son désarroi.

J'ai attendu qu'il disparaisse au bout du chemin pour aller voir madame Marsan. Ses « on verra », je les conjugue au présent.

Je regarde la forêt un peu plus haut. Il n'y a pas un bruit aujourd'hui. Seuls des promeneurs doivent fouler l'humus. Pas de bûcheron. C'est dimanche. Que fait-il, le dimanche ? Peut-être a-t-il une femme, des enfants. Se serait-il comporté de cette manière avec moi si c'était le cas ? A-t-il ressenti la même attirance irrépressible ou bien est-ce un simple jeu sans importance pour lui, un besoin de se sentir mâle, peu importe la femelle ?

17

Le secret de Gustave

Valentine est partie depuis une bonne demi-heure, c'est le dernier jour avant l'arrivée des enfants. Elle apprécie ce moment où la classe est encore calme et vide, où elle peut s'organiser comme elle le souhaite, l'esprit libre. Gaël l'aidera à déplacer l'une ou l'autre armoire. Elle aime changer la disposition de la salle à chaque nouvelle rentrée. Comme à la maison. Déjà toute petite, dans sa chambre, elle avait l'impression de déménager, de s'installer dans un nouvel endroit rien qu'en déplaçant ses meubles, parfois plusieurs fois dans l'année, comme un besoin de dépaysement, de nouveauté.

Gustave s'est proposé de rester à la cuisine pour accueillir Anna-Nina à son réveil. Il a entendu Éric jouer de la guitare très tard, dans la roulotte. Il doit encore dormir. C'est en voyant Croquette descendre l'escalier qu'il sait qu'elle est sur le point de le rejoindre pour prendre son petit déjeuner.

Tout est prêt. Il veut fêter ce dernier jour de vacances comme il se doit. L'énorme bol en céramique attend la fillette, avec une grosse cuillerée de chocolat en poudre au fond. Deux tartines beurrées et couvertes d'une épaisse couche de confiture de framboises sauvages – la meilleure – reposent sur une assiette. Juste à côté est disposée la serviette en tissu entourée d'un rond de serviette en bois gravé à son prénom, et un verre de jus de pommes frais complète le tableau. Le verger va encore bien donner cette année, et la récolte est proche. Il est temps de frapper aux portes des voisins et amis du village afin de récupérer les bouteilles consignées pour la coopérative qui lui presse son jus.

Anna-Nina vient enlacer le vieil homme en l'embrassant bruyamment sur la joue et en restant ainsi quelques instants. Elle aime l'odeur de ses vêtements, qui sentent bon le savon de Marseille. Puis elle s'installe à sa place, sur le banc en bois. Gustave cherche le lait chaud qui patiente dans la casserole, enlève la peau à la surface et le verse dans le bol.

– Aujourd'hui, je t'emmène quelque part, lui annonce-t-il, alors qu'elle croque dans le pain mouillé de lait.

– Où cha ?

– Pas loin, mais si tu le souhaites, on en fera un endroit à nous. J'ai de grands projets. Un vieux rêve, en fait, que tu vas m'aider à réaliser, si tu en as envie.

Quand elle achève sa deuxième tartine, le regard encore intrigué par ce grand projet mystérieux, il lui précise d'enfiler des habits qui ne craignent pas d'être abîmés et qu'il l'attend dans la cour, il va prévenir son père.

Elle déboule quelques instants plus tard avec un T-shirt simple sur un jean troué aux genoux, clamant qu'elle est prête, puis embrasse son père assis sur les marches de la roulotte, encore tout ensommeillé après une nuit trop courte.

– T'as pas dormi, papa ?

– Si, mais peu.

– T'as fait quoi ?

– J'ai joué de la guitare. Ça revient doucement, alors j'en profite.

– Gustave m'emmène quelque part, il a un grand projet et je vais l'aider à réaliser son rêve.

– Tout un programme ! Et c'est où ?

– Un peu plus haut, on y va à pied, précise Gustave en enroulant autour de son bras une grosse corde sur laquelle il a fait des nœuds réguliers.

Éric les regarde s'éloigner en direction du chemin qui monte derrière le village. Sa fille trottine à côté du vieil homme. Elle lui raconte déjà mille histoires. Cette petite a deux vies au fond d'elle, comme si elle était sortie du ventre maternel en emportant sans le savoir l'énergie de sa mère qui allait mourir quelques minutes plus tard.

C'est peut-être à ce moment précis et pourtant anodin qu'Éric sent un déclic en lui. Une révélation. Et si la vie de la femme qu'il pleure depuis sept ans était là, sous ses yeux, ajoutée à celle de sa fille, et qu'au lieu de la célébrer dignement, il l'étouffait sous le chagrin ? Et s'il se réjouissait désormais que cette existence ne se soit pas arrêtée mais qu'elle perdure sous une autre forme ? Sans pour autant imaginer qu'Hélène est encore vivante dans le corps de sa fille, ce serait une considération assassine. Non, à cet instant précis et anodin, Éric ressent le besoin de fêter dignement tout ce qui rend vivant et décide de cesser de s'apitoyer sur son sort et d'offrir à Anna-Nina un avenir joyeux et léger.

La fillette n'a pas cessé de papoter dans la montée pourtant raide. Il faut dire que Gustave a largement réduit le rythme de ses pas, pour tenir la distance sans éprouver le besoin de s'arrêter afin de reprendre son souffle, ce qui laisse à la gamine le loisir de parler en marchant. Elle a même pris un peu d'avance et boulotte des myrtilles sur le bord du chemin.

– Elles sont bonnes, hein ! affirme Gustave. Il en reste encore ?

– Quelques-unes.

– Profite, la saison est bientôt finie.

– T'as fait des confitures ?

– Tu m'as bien regardé, mademoiselle ? Tu crois vraiment que je peux laisser passer une année sans cueillir les fruits sauvages que la nature veut bien m'offrir ? Ce serait sacrilège. Non seulement de la confiture, mais il y en a au moins huit sachets au congélateur pour faire des tartes cet hiver. Et un peu de jus aussi.

– J'aimerais bien être à la retraite comme toi, pour faire tout ce que tu fais !

– Tu as d'autres aventures à vivre, chaque chose en son temps.

– Oui, mais la vie peut s'arrêter sans prévenir, et après, on ne peut plus rien faire.

– Ne prévois pas ta vie en fonction du risque qu'elle s'arrête. Fais des projets comme si tu allais vivre jusqu'à cent ans et prends le temps de les réaliser. Quand on meurt, ce ne sont pas les objectifs qu'on n'a pas réalisés qui comptent, c'est d'avoir été heureux de tout ce qu'on a pu faire.

– Tu vas vivre jusqu'à cent ans ?

– J'ai prévu encore plus !

– Alors tu me verras grande !

– Je ne partirai pas avant d'avoir vérifié que tu as un métier qui te plaît et une vie d'adulte épanouie. Tu veux faire quoi quand tu seras grande ?

– J'aimerais fabriquer des choses jolies et les vendre pour que les gens soient heureux quand ils les regardent.

– Quelles choses ?

– Je sais pas, plein de choses, des bricolages, des dessins, mais j'hésite avec la musique. Ça rend aussi les gens heureux, la musique.

– Tu peux faire les deux. Tu voudrais jouer de quel instrument ?

– De la guitare comme papa.

– Électrique ?

– Naaaaaaan, répond Anna-Nina en éclatant de rire. C'est un truc de garçon, non ?

– Parce qu'il y a des trucs de fille et des trucs de garçon ? Il y a ce qu'on a envie de faire, et on s'en fiche si on est un garçon ou une fille. Si tu as envie de jouer de la guitare électrique, joue de la guitare électrique. Et fiche-toi du reste ! Moi, je tricote bien, alors, hein ?

– Tu tricotes ? demande Anna-Nina, les yeux ronds.

– Oui, je tricote. C'est Suzanne qui m'a appris. On aimait faire ça, les soirs d'hiver, au coin du feu. Ça détend.

Des petits carrés de différentes couleurs que j'assemble ensuite pour faire des couvertures.

– C'est toi qui as fait les couvertures qui sont chez toi ?

– Oui madââââme !

– Si tu tricotes, je peux bien jouer de la guitare électrique, alors !

– Tu as tout compris.

Gustave retient alors Anna-Nina en posant sa main sur sa petite épaule pour qu'elle s'immobilise, et lui propose de s'asseoir dans l'herbe au bord du chemin pour écouter ce que la vue veut bien lui raconter. Il lui montre la montagne en face, le Grand Donon et le Petit Donon, lui explique où sont les villages qu'elle traverse en allant à l'école. Lui parle des différentes essences d'arbres qui peuplent les forêts autour de l'immense clairière qu'ils ont à leurs pieds.

– Il y a un arbre en particulier qui te plaît dans ce paysage ? demande-t-il.

Anna-Nina prend le temps d'observer l'espace, d'un bout à l'autre du panorama. Sans un mot, elle pointe du doigt un arbre immense en contrebas. Gustave sourit comme un enfant, ravi et rassuré par le choix de la petite. Elle vibre donc dans les ondes de son projet rêvé.

– Viens, on va le voir de plus près, dit-il en se levant au nez et à la barbe de son arthrose, et il lui tend la main pour l'aider à faire de même.

Ils descendent le pré, slalomant entre les genêts et les touffes d'herbe haute épargnées par les animaux sauvages, avant de s'arrêter juste sous les branches. L'homme reste un instant immobile, les yeux fermés, comme s'il se chargeait de l'énergie qui se dégage de l'arbre. Anna-Nina a filé au pied du tronc et grimpe sur la première branche basse, qui a poussé, sinueuse, formant comme un petit siège. Elle y est déjà assise.

– Alors, c'est quoi ton grand projet ?

– Construire une belle cabane dans les branches hautes, lui répond Gustave, arrivé à sa hauteur, alors qu'il regarde en l'air. Tu vois, elles sont encore solides. Mais j'aurai besoin de toi, je ne peux pas le faire seul. Ça te dit ?

– Tu m'as bien regardée, monsieur ? Tu crois vraiment que je peux laisser passer un grand projet de cabane alors que la nature veut bien m'offrir un arbre pour ça ? Ce serait sarcophage !

– Sacrilège, ma chérie. Sarcophage, c'est autre chose. Tu sais, il faut qu'on fasse ça bien. Ça va prendre du temps, peut-être des mois !

– On a le temps, puisque tu ne vas pas mourir tout de suite, et papa m'a toujours appris à m'appliquer.

– On devra faire des paliers pour monter le matériel au fur et à mesure. Et sur le dernier, on prévoira un système pour l'isoler, comme ça, quand tu seras là-haut, personne ne pourra venir te déranger, ajoute Gustave en lançant la corde à nœuds sur une branche solide un peu plus en hauteur.

– Tu ne viendras pas ? questionne Anna-Nina en grimpant à la corde.

– Je suis trop vieux pour ça !

– Alors, pourquoi tu le fais ?

– Pour toi, pardi ! Mon rêve d'enfant peut bien servir à d'autres !

Sur le chemin du retour, Anna-Nina lui demande quand ils pourront y retourner, à quel rythme ils travailleront, comment ils vont construire tout cela. Il lui explique l'étude de la topographie de l'arbre, en premier, puis les plans à élaborer, le matériel à prévoir et à acheminer, les étapes de la construction, en tenant compte de la météo et de l'automne qui approche. Elle pense déjà au tissu des rideaux et aux jouets qu'elle y laissera. Elle lui a pris la main et marche à ses côtés, heureuse de partager ces moments avec un vieux monsieur qui habite dans le même petit monde magique qu'elle.

— Et pourquoi tu dis que c'est un rêve ?

— Je n'ai pas joué comme toi quand j'étais petit, tu sais ? Il fallait que j'aide mes parents, et puis, il y a eu la guerre. La première fois que je suis venu me promener ici, j'avais seize ans et j'ai vu cet arbre…

— Il était déjà là ?

— Bien sûr ! Peut-être un peu moins large, mais déjà aussi grand. Il m'a appelé. Tu y crois, toi, aux esprits de la nature, au fait qu'on peut parler avec eux ?

— Bah oui, pourquoi ? Des gens n'y croient pas ? s'étonne Anna-Nina.

— Plein !

— Je parle aux fleurs et aux ruisseaux quand on passe à côté, en roulotte. Ils me répondent !

— Ne t'arrête jamais de le faire ! Donc, cet arbre m'a appelé. Il fallait que je construise quelque chose avec lui.

Sûrement la cabane où j'aurais aimé aller me réfugier quand j'étais petit et que mon père me frappait.

– Pourquoi il te frappait ?

– Parce qu'il n'avait rien compris à l'enfance. Et puis, le temps a passé. J'avais beaucoup de travail à la ferme de Suzanne. Et un jour, j'ai cru que j'étais trop grand pour ça, alors j'ai mis mon rêve de côté. Et puis, tu es arrivée, et ça l'a réveillé. Je me dis que cet arbre t'attend aussi, parce que tu sauras lui parler.

– Ça restera notre secret ? interroge la petite en entrant dans la cour.

– Oui, bien sûr !

Éric, qui arrache quelques mauvaises herbes le long de la maison, entend les dernières phrases, contre son gré.

– Qu'est-ce que vous manigancez tous les deux ? demande-t-il en souriant.

– C'est un secret, on ne peut pas t'en parler. Tu pourras m'apprendre la guitare électrique ?

Éric regarde Gustave, interloqué. Quoique finalement non, il n'est même pas étonné. Ce vieil homme a une vie entière à transmettre, de l'expérience à partager, des idées, des principes, une forme de sagesse simple, et Anna-Nina a la chance d'en profiter. Le jeune père observe sa fille évoluer un peu plus loin de lui qu'à l'accoutumée et lui accorde ce plaisir d'avoir quelques secrets. Après tout, il l'a eue tout à lui pendant les sept premières années de sa vie, il peut bien lâcher du lest, la laisser s'ouvrir aux autres.

18

Un geste symbolique

Je finis de laver la vaisselle quand je sens la main d'Éric se poser sur ma hanche. Je crois que c'est la première fois qu'il a un geste tendre de ce genre, en dehors de nos moments d'intimité. Je sursaute d'une légère surprise mais frissonne de plaisir. Autant pour l'idée que je me fais de la suite de la soirée que pour le principe qu'il puisse s'ouvrir à une relation câline dans les petits gestes du quotidien. C'est si savoureux et tellement ce qui manque à ma vie.

Il est trop tôt pour qu'on s'éclipse. Anna-Nina ne dort pas encore. Nous passerons donc par la case tisane. Il a déjà mis l'eau à chauffer.

Je le laisse préparer le plateau et les tasses et j'en profite pour aller dire bonne nuit à la petite. Elle m'a entendue monter et m'attend avec un grand sourire, couchée sous la couette, un livre à la main. Je me mets à genoux pour être à sa hauteur et je chuchote :

— Tu es prête pour demain ?

— Je sais pas, on verra bien. J'ai envie d'y aller. C'est ce qui compte, non ?

— Oui ! Et puis, tu as déjà rencontré la plupart des

enfants en juin. Et tu connais Gaël. Tu sais bien qu'il est gentil.

– Et toi, tu es prête ?

– Ce n'est pas ma première rentrée comme toi. Même pas peur !

– Moi non plus ! Je sais que papa est là si ça va pas.

– Tu as passé une belle journée ?

– Oui, on a été se promener avec Gustave. On s'est raconté plein de choses.

– Il est heureux que tu sois là, tu sais ? Je le connais depuis toujours, et ça se voit. Tu devrais éteindre maintenant, il faut que tu sois en forme demain. Tu vas devoir te lever plus tôt que d'habitude, et puis travailler.

– Travailler ? Pour apprendre ? Je n'ai jamais eu besoin de travailler avec papa, et il m'a appris plein de choses.

Cette gamine attachante et douée est probablement venue dans nos vies d'instits pour mettre le doigt sur nos incohérences. Bien sûr, on n'enseigne pas à un groupe comme à un individu ; bien sûr, il faut des règles, des principes, mais quand même. Son passage furtif en juin nous a déjà rappelé qu'un enfant devrait pouvoir aller faire pipi quand il en a envie, et pas quand ça arrange les grands. Je sens que cette année, elle va inciter Gaël à montrer aux autres parents qu'on peut apprendre sans travailler, du moins sans s'en rendre compte.

Je l'embrasse et je ferme son livre pour le poser sur sa table de chevet. Elle me prend dans les bras et me serre fort en me disant qu'elle est heureuse, vraiment, et qu'elle espère que nous arriverons à rendre Gaël heureux.

– Tu sais, Gaël a d'abord besoin d'être bien avec lui-même, et ça, ça dépend de lui. Pour le reste, nous ferons tous de notre mieux pour l'aider. Toi aussi tu pourras !

– Oui, moi, mon métier, c'est de le faire rire.

– Tu pourras aussi le prendre dans tes bras, il adore ça.

– Pas dans la classe, hein ?

Je reste silencieuse. Elle connaît la réponse.

Croquette est déjà sur le tapis dans le couloir, à l'affût des cauchemars et des bêtes noires. Je me réjouis de voir Anna-Nina motivée pour demain. L'école n'est pas toujours facile pour les enfants hypersensibles comme elle. Ils se heurtent à un système trop dur pour eux. Un rien les atteint. Un mot méchant, une humiliation dans la cour, parfois le simple fait de trébucher devant les autres et c'est le drame. J'ai déjà eu quelques élèves dans ce cas. On les rassure, on dédramatise, on les apaise, mais ils encaissent quand même chaque petit choc dans le coin de leur vulnérabilité. Et on n'y peut rien. On ne peut pas les changer. On ne doit pas les changer. Leur corde sensible est aussi à l'origine de leur créativité, leur bienveillance, leur générosité. Leur obsession du bien, du juste, est nécessaire à l'équilibre du monde, j'en suis persuadée.

Son père est beaucoup plus serein que lors de sa première expérience scolaire en juin. Après tout, s'il est revenu, c'est en grande partie pour qu'elle retourne à l'école. Et il doit m'attendre avec la tisane fumante.

Quand je redescends, il est dans l'entrée, le plateau en main, et me suggère de profiter de la douceur du soir, au pied du marronnier.

Nous nous installons sous la toile que nous avons laissée en place après notre déjeuner d'hier. Elle nous protégera de l'humidité qui commence à tomber de plus en plus tôt. Septembre en montagne promet des soirées fraîches. Il me prêtera un pull si j'ai froid.

– Tu sais que ma fille et ton grand-père nous font des cachotteries ?

– Ah ? Elle m'a dit qu'ils étaient partis se promener.

– C'est vrai. Mais pour faire quoi ? Ça... !

– Ils s'entendent bien, c'est le principal.

– À merveille. Tu sais, en les voyant partir, joyeux comme tout, j'ai eu une sorte de révélation sur ma façon de voir les choses. Je me suis dit que j'étais du gris sur la lumière de ma fille et que je ne faisais que l'étouffer et la retenir dans le passé en regardant moi-même sans arrêt en arrière.

– C'est une importante prise de conscience.

– Mais je ne sais pas comment cesser de penser à Hélène. Elle est toujours là, au quotidien.

– Avais-tu encore des choses à lui dire avant qu'elle parte, ou tu as eu le temps ?

– Non, je n'ai pas pu. Tout a été très vite à l'accouchement. Ils m'ont mis Anna-Nina dans les bras et m'ont installé de l'autre côté du couloir. Quand je suis revenu dans la salle, elle était morte. Je n'ai même pas eu le temps de lui dire merci d'avoir fait partie de ma vie et de m'avoir donné cette jolie petite fille. Je ne savais pas qu'elle allait mourir.

– J'ai une fois parlé à mon amie sage-femme d'une mère d'élève qui n'arrivait pas à faire le deuil de son mari, mort brutalement à son travail. Elle m'a rapporté la proposition de la thérapeute que je suis allée voir en juin. Dans une situation de ce type, elle suggère habituellement de choisir un bel endroit, et de se connecter, avec le cœur, à la personne qu'on a perdue, pour lui exprimer, à voix haute ou à voix basse, tout ce qu'on n'a pas pu lui dire. Cela lui permet de partir ensuite, sans un goût d'inachevé. Et pour celui qui reste, cela finit d'écrire un chapitre entamé dont il faut tourner la page.

— Je devrais peut-être faire ça. Mais je ne sais pas où aller.

— Le Donon est un bel endroit. C'est là-haut que nous montons, avec Gaël, quand nous avons des choses importantes à régler. À la parole, il me semble intéressant d'associer un acte, quelque chose qui symbolise le départ, ou la disparition.

— Du genre ?

— Un feu qui s'éteint ou au contraire une bougie qu'on allume. Une poignée de sable qu'on lance au-dessus du vide et qui s'éparpille. Tu vois ?

— Oui, je vois. Ou un feu d'artifice. La lumière qui se disperse dans la nuit.

— C'est encore plus joli comme symbole.

— Mais il faut le faire de nuit.

— Avec une puissante lampe torche, tu peux aisément redescendre du Donon ensuite. Les jours raccourcissent sérieusement maintenant. Il ne faut plus trop attendre.

— Je crois que j'aimerais le faire. Ça me parle bien. Et j'en ai vraiment besoin.

— Tu veux y aller avec Anna-Nina ?

— Non, je ne crois pas. C'est mon problème. Je ne veux

pas lui infliger le chagrin que j'aurai à ce moment-là. Si tu peux la garder, bien sûr.

– Tu sais que depuis les hauts du village on voit le Donon ? Je pourrais l'emmener à l'heure approximative où tu y seras et lui expliquer ce que tu fais. Elle verrait le symbole. Ça lui ferait peut-être aussi du bien.

– Tu ferais ça ?

Il a dû me voir frissonner, parce qu'il se lève, monte dans sa roulotte et en ressort avec un pull, qu'il me tend de ses deux mains. Je l'enfile en reconnaissant son odeur. Elle est très différente de celle du bûcheron. Plus discrète, plus raffinée, plus simple, elle me rappelle nos moments d'amour, quand je colle mon nez dans son cou. Et puis j'aime l'ampleur de ce pull. Je m'y sens petite, comme quand il me fait l'amour, son corps sur le mien.

Hé ! Oh ! Valentine, c'est juste un pull !

Éric m'explique alors que demain, il aimerait descendre avec nous pour la rentrée de sa fille et qu'il souhaiterait que je les dépose un peu en amont de l'école, pour l'emmener à pied. Ensuite, il ira flâner, acheter le journal, se poser quelque part et attendre la sortie de midi. Je comprends, évidemment. C'est tellement nouveau pour lui. Demain est une étape importante dans leur vie. Il l'a inscrite officiellement dans une école, il la stabilise, l'ancre dans une société dans laquelle il n'a plus l'habitude d'évoluer. Il faut qu'il retrouve quelques repères pour la sortir de la marginalité.

Je suis idiote à essayer d'expliquer sa demande par de grandes théories. Il a juste envie d'être un père normal pour sa fille.

– Et comment va Gaël ? me demande-t-il.

– Je crois que ça ira. La reprise de la classe va lui changer les idées. Pour le reste, il semble bien décidé par rapport à ce qu'il nous a dit. J'ai vu madame Marsan. Son logement est libre, elle lui fait un prix à l'année et l'accueille quand il le souhaite. Il en a envie. Il aime le village, il a besoin de changer d'air. Mais je crois qu'il aura aussi besoin de nous. C'est difficile d'être motivé quand on est triste parce qu'on se sent seul.

– Il ne sera pas seul s'il vient vivre à Solbach.

– Tu crois que tu pourrais le coacher un peu pour une activité physique ?

– Bien sûr. De toute façon, pour l'instant, je n'ai pas beaucoup d'autres occupations. Ça me fera bouger aussi.

– Il faudra commencer doucement, hein ?

– J'exige un certificat médical, un document de décharge CERFA 33892 et une assurance tout risque, ajoute-t-il en souriant. Il faut surtout qu'il soit d'accord, tu sais ?

– J'ai évoqué l'idée. Il ne semble pas contre.

– Je me dis aussi que refaire de la musique lui ferait du bien. Il m'a parlé de sa batterie, toujours chez ses parents.

– Oui. Il en jouait très bien. J'adorais le voir avec son groupe, quand nous étions au lycée.

– Ça le défoulerait, non ? Je pourrais l'accompagner à la guitare. D'ailleurs, si tu peux m'expliquer pourquoi Anna-Nina m'a demandé de lui apprendre à jouer de la guitare électrique en revenant de balade avec Gustave…

– Tu as la réponse dans ta question. C'est Gustave.

– « Gustave » n'est pas une réponse.

– Si ! Je t'assure, lui dis-je, amusée. Par contre, j'y pense, une batterie est un instrument un peu plus volumineux qu'une flûte à bec à transporter.

– Le transport n'est pas un problème. C'est surtout « où » la mettre. Il faut un endroit isolé du bruit, où il puisse jouer sans déranger personne. Particulièrement dans un village aussi calme que celui-ci.

– Sous la maison, il y a une grande cave voûtée.

– Là où tu stockes tes conserves ?

– Non. La même, mais de l'autre côté. Je l'utilise peu, car elle est loin de la cuisine et on y accède par un escalier extérieur. Il y a tout un tas de fourbi. Mais il suffit de ranger et nettoyer. Vu l'épaisseur des murs, ça ne devrait déranger personne.

– Il y a du courant ?

– C'est une batterie électrique ?

– Non, pour ma guitare et les amplis. Pour un déshumidificateur et un peu de chauffage.

– L'installation est plutôt désuète, mais elle fonctionne.

– Ne lui en parle pas, ça pourrait être sympa de lui faire la surprise. Si tu connais ses parents.

– Évidemment que je les connais. Ils m'aiment comme si j'étais la sœur de leur fils !

– On va d'abord attendre de voir s'il vient s'installer ici.

– Je lui ai dit de passer ce week-end pour en parler.

– Gustave est d'accord pour les coups de pied au derrière dont Gaël a besoin ? me demande Éric, amusé.

– Gustave est toujours d'accord pour donner des coups de pied au derrière. Tu en as fait les frais, non ?

Je frissonne encore malgré le pull. La nuit est tombée et la fraîcheur humide qui l'accompagne nous enveloppe désormais. Éric me propose de nous retrancher dans la roulotte, pour être à l'abri du frais, en me demandant, le regard brillant, si j'ai un peu de temps ou si j'ai encore du travail pour la rentrée de demain. « On ne révise jamais la veille du bac » seront mes derniers mots.

Quelques instants plus tard, il enlève mon pull, enfin le sien, et descend la bretelle de ma robe le long de mon épaule. J'ai envie que nous prenions le temps. Je le sens plus serein, moins pressé. Comme s'il n'éprouvait plus le besoin de se débarrasser de son désir comme les autres fois, quand la culpabilité s'invitait insidieusement, mais qu'il me regardait avec envie et sans arrière-pensées.

J'en aime l'idée. J'aime surtout qu'il puisse me débarrasser de mon autre désir, celui de ce matin dans la forêt, celui qui me poursuit et dont je ne veux pas parce qu'il n'a pas de sens.

Je laisse ma tête s'incliner vers l'arrière, et j'offre mon cou et mon décolleté à ses mains chaudes et à ses lèvres humides.

19

À quoi tu penses ?

Nous nous sommes couchés tard hier soir. Malgré la rentrée. Mais Valentine voulait se changer les idées.
Nous avons fait l'amour longtemps. Par vagues. Des caresses douces, presque des effleurements. Des moments plus intenses, où elle m'attrapait les cheveux et les serrait fort entre ses doigts parce que les miens s'aventuraient entre ses cuisses à peine ouvertes. Et de nouveau la douceur. Ressortir, effleurer, suggérer, se retenir d'aller plus loin, pour faire durer. En silence, nos regards criaient le désir. Et plus je la faisais attendre, plus elle s'impatientait. À en perdre pied, parfois. Je la voyais respirer comme si elle manquait d'air, étouffée par le désir. Le mien crépitait, mais je savais que plus nous attendions, repoussions, plus nous irions haut. Son corps entier m'appelait et je devais résister pour que le mien m'obéisse plutôt que de se précipiter. Parce que c'était savoureux de la voir m'attendre, m'espérer, me supplier. J'avais entre mes mains le pouvoir de vie ou de... vie. Le jeu n'était pas cruel, je préparais ainsi le lit de sa jouissance. Ma main fermait parfois sa bouche, quand je savais que son impatience, poussée à son

paroxysme, serait bruyante. Et quand la vague était passée, je retournais vers son sein pour faire rouler son téton entre mes doigts, ce qui la faisait remonter instantanément. Cet amour presque animal nous a fait sortir de l'espace-temps. Nous n'étions plus que deux corps dans une même chaleur, en dehors du monde.

Sans quelques heures de sommeil, je pense que je n'aurais pas réussi à redescendre de mon extase pour être frais et dispos en cette matinée de rentrée.

Le réveil vient de sonner et je reste dans mon lit, les yeux ouverts. Anna-Nina doit encore dormir. J'ai prévu du temps pour me préparer avant elle.

Quelques instants plus tard, fraîchement rasé, j'entre dans sa chambre à pas de loup pour la cueillir dans son sommeil. Je regarde son visage serein, presque joyeux, et je me remémore notre arrivée ici, ce soir d'orage, il y a trois mois, et toutes les décisions que j'ai prises depuis. Si en juin je me demandais pourquoi j'avais accepté qu'elle accompagne Valentine à l'école, aujourd'hui je sais que j'ai fait le bon choix de l'inscrire pour une année complète. Elle se réjouit, elle s'y fera, elle est bien entourée. Je passe le témoin de l'éducation de ma fille à des gens formés pour ça. J'ai fait ma part. Ça ne m'empêchera pas de continuer au quotidien mais je laisse derrière moi la contrainte de rendre des comptes aux institutions, et la peur de mal faire. Je suis son père. Juste son père.

Je l'embrasse à plusieurs reprises. Elle gigote vaguement et se tourne de l'autre côté, comme pour signifier qu'elle entame un nouveau cycle de sommeil après cette indésirable perturbation. J'embrasse l'autre joue qui s'offre à moi, toute chaude de l'oreiller. Elle sourit, puis, sans ouvrir les yeux, s'étire comme un chat.

– C'est aujourd'hui, la rentrée ?

– Oui, ma puce. Tu es prête ?

– Je ne vais pas y aller en pyjama !

– Je parle dans ta tête.

– Bien sûr que je suis prête ! Et toi ?

– Je ne suis plus en pyjama ! Allez, debout ! Les tartines et Valentine t'attendent.

– Ça rime, répond-elle en souriant. Gustave est là aussi ?

– Oui.

– Sauf que Gustave, ça rime avec chou rave ! Pour le petit déjeuner, je préfère des tartines.

– Allez, debout, rigolote !

Je la descends bientôt sur mon dos, habillée, coiffée, motivée, et l'installe devant son bol déjà servi. Départ dans une demi-heure. Valentine est un peu nerveuse, forcément. Elle vérifie trois fois qu'elle a tout ce qu'il lui faut dans son sac. Gustave me demande ce que je compte faire pendant l'école.

– Flâner en l'attendant.

– Rien de précis, donc ?

– Non, pourquoi ?

– Tu pourrais m'emmener au magasin de bricolage ? J'ai besoin d'un peu de matériel. Valentine, tu nous prêtes ta voiture, n'est-ce pas ?

– Je n'en aurai pas un grand usage dans la classe, et je reste sur place pour déjeuner. Faites-en ce que vous voulez.

– Je vais m'habiller correct, nous lance Gustave en se levant. Ne partez pas sans moi, hein ?

– Si tu peux m'éviter d'arriver en retard le jour de la rentrée…, dit Valentine.

Une demi-heure plus tard, nous sommes tous installés, ceinture bouclée. Valentine conduit, Gustave copilote, et j'ai pris place à l'arrière, aux côtés d'Anna-Nina, prêt à bondir à cent mètres de l'école pour faire comme si on n'arrivait pas avec madame Bergeret.

Je tiens la main de ma fille qui sourit en regardant défiler le paysage à travers la vitre. J'aimerais être dans sa tête pour savoir tout ce qui s'y passe. Ça doit être une tempête de questions à propos de l'école, de ses futurs amis, de notre nouvelle vie, de comment va se passer la journée, et la semaine, et ce qu'elle va apprendre. Du moins je le suppose. Je tente :

– À quoi tu penses ?

Elle tourne son visage vers moi et plante ses grands yeux doux dans les miens.

– À un arbre…

20

Gna-gna-gna

Voilà. Tout le monde est sur les rails. Les enfants, les instits, les parents. Il y a cette émotion du premier jour, mais finalement, le basculement est rapide entre les vacances et l'école.

J'ai retrouvé le plaisir de regarder les élèves jouer dans la cour, se concentrer sur leur cahier, prendre la parole devant les autres, chanter. Celui aussi de nos allers-retours dans la cour, avec Gaël, à refaire le monde entre deux bobos à soigner, deux conflits à désamorcer. Mais aujourd'hui et pour quelque temps encore, c'est surtout son monde à lui que nous allons essayer de refaire.

J'ai observé Anna-Nina à la récréation du matin. Elle courait en riant au milieu des autres enfants. Gaël m'a confirmé que son accueil s'était très bien passé, qu'il l'avait installée à côté de Charlotte, puisqu'elle la connaissait un peu mieux que les autres.

– Si tu avais vu sa fierté quand j'ai distribué les fournitures scolaires. Elle regardait partout autour d'elle. Sûrement le plaisir d'avoir les mêmes cahiers que les autres, d'appartenir à un groupe.

– Elle parle facilement ?

– Oui. Lors de la mise en commun des souvenirs de vacances, elle a raconté la roulotte, le retour, et nous a annoncé qu'elle allait apprendre à jouer de la guitare électrique. C'est vrai ?

– Il semblerait.

– Parce que son père en joue ?

– Ça doit lui donner envie. Mais il joue aussi de la guitare classique. Alors, pourquoi la guitare électrique ? Tu la vois, toi, avec cet instrument, à faire des solos, à genoux, la tête rejetée en arrière ?

– Tu ne veux pas non plus qu'elle joue avec les dents, tant que tu y es ? Éric aura plaisir à lui apprendre. Je fais comment si elle a un niveau trop élevé pour la classe ?

– Tu la prends déjà avec un an d'avance et tu gères trois niveaux. Laisse venir, elle va suivre le groupe, sinon, on lui donnera des choses à faire en plus.

– Et je lui proposerai d'aider ceux qui peinent un peu.

– Je suis sûre qu'elle est meilleure que toi en géométrie.

– Gna-gna-gna.

En rentrant de l'école, Anna-Nina a filé voir Gustave avant de venir prendre le goûter. Puis, avec son père, ils sont partis marcher.

Assise sur le perron, au soleil, je fais une pause. Finalement, je n'ai aucune réponse à mes questions d'avenir, mais je crois que ce n'est pas grave. J'arrive à profiter de chaque moment, comme la thérapeute m'a suggéré de le faire. Je suis soucieuse pour Gaël, mais nous avons ouvert des pistes pour qu'il retrouve un peu de sérénité. Et j'essaie de ne rien attendre d'Éric. Du moins pas d'engagement. Ça lui ferait peur. Ou peut-être est-ce à moi que ça fait peur.

Nous formons une sorte de clan, tous ensemble. Surtout si Gaël nous rejoint. J'ai mon grand-père si doux, une gamine adorable, un amant conciliant, et mon meilleur ami.

Que demander de plus ?

Me défaire de l'envie tenace de retourner voir l'homme dans la forêt.

21

La regarder, c'est l'adopter

Je viens de coucher Anna-Nina, épuisée par cette première journée de vie sociale intense. Elle m'a tout raconté. Tout. Dans les moindres détails, jusqu'à la couleur de son crochet de portemanteau dans le couloir. Elle est radieuse. Tous les traits de son visage l'annoncent, la lumière dans ses yeux et la couleur de sa voix. Elle dit sans le dire que j'ai fait le bon choix. Peut-être le fameux instinct que Gustave me suggérait d'écouter chez ma fille. J'espère voir s'installer son plaisir dans la durée. D'un autre côté, nous pourrons toujours changer d'avis, nous ne sommes prisonniers de personne. C'est peut-être ce qui a fondamentalement évolué en moi depuis juin. Je ne sens plus de piège se refermer, puisque j'ai moi-même pris la décision du retour. Il me reste à trouver ma place dans cette vie sociale normale. Je ne peux pas me contenter d'être le père d'Anna-Nina et l'amant de Valentine. Il va falloir que je me réalise, maintenant que je n'ai plus ma fille comme seul objectif. Mais pour faire quoi ?

En m'embrassant pour la nuit, Anna-Nina m'a demandé à nouveau si je lui apprendrais la guitare électrique. J'ai pris le temps de lui expliquer que oui, je lui apprendrais quelques accords, quelques techniques, mais que cela me semblait plus simple, plus juste, plus logique, qu'elle débute sur ma guitare acoustique.

Elle est d'accord et veut commencer dès demain. Pourquoi perdre le temps qu'on a ?

En descendant de l'étage, je m'assois quelques instants à la table de Valentine. Gustave s'y attarde, comme certains soirs. Il était ravi que je l'accompagne pour ses achats au magasin de bricolage. Je me demande ce qu'il va pouvoir faire avec toutes ces cordes, ces poulies, ces vis, ces clous, ces équerres et ces charnières.

Alors qu'un silence s'installe, je leur annonce que j'envisage de m'acheter une petite voiture pour être indépendant. Je ne peux pas aller faire mes courses en roulotte ! Et emprunter la voiture de Valentine me gêne. J'ai besoin de me sentir autonome.

– Je peux te laisser la mienne ! propose Gustave. Ça fait au moins cinq ans qu'elle dort dans ma grange.

– Vous ne conduisez plus ?

– Tu ne veux pas me tutoyer, gamin ? On n'a pas besoin de chichis entre nous !

– Si tu veux. Tu ne la conduis plus ?

– Gustave s'est fait très peur, répond Valentine. Il s'est endormi, un après-midi, dans les virages qui descendent vers la vallée. Il est parti dans le talus opposé. Heureusement, car il aurait pu dévaler entre les arbres s'il avait viré de l'autre côté. Depuis, il n'a plus touché un volant.

– C'est plus sûr pour les autres, ajoute le vieil homme.

– Alors, pourquoi pas. Elle est récente ?

101

Je vois Valentine sourire en se levant pour débarrasser les vestiges du dîner.

– Elle est bien entretenue, répond Gustave. Et je suis sûr qu'elle roule encore. Il faudra juste l'emmener au contrôle technique pour être en règle.

– C'est quoi comme voiture ?

– Viens, je t'emmène la voir. La regarder, c'est l'adopter.

Je me demande pourquoi Valentine garde ce sourire sur les lèvres et n'ose plus me regarder. Peut-être pour ne pas éclater de rire. Je crains le pire, et il serait difficile de revenir en arrière sans froisser l'homme qui montre un tel enthousiasme à l'idée que je prenne sa voiture.

Nous traversons tous trois la cour au milieu de la nuit qui s'installe. Gustave nous précède pour ouvrir la petite porte rectangulaire coupée dans la grande porte arrondie de la grange, puis il se dirige vers l'interrupteur. Je n'étais pas encore venu dans cette partie de la maison. Une caverne d'Ali Baba faite de toutes sortes de planches, de bidons, de bric et de broc. Les toiles d'araignées témoignent de l'inertie de ce stock, preuve des blessures de la guerre pour ceux qui l'ont vécue. Quand on a manqué de tout, on ne peut plus rien jeter.

Et au milieu de tout ce barda, une grande bâche rouge en forme de voiture.

– Passe de l'autre côté, Valentine, et aide-moi à soulever la protection !

Elle sourit toujours.

– Et toi, ferme les yeux pour avoir la surprise, ajoute-t-il.

Une chose est sûre, il y met les formes. J'entends le frottement du tissu, des pas sur le sol, avant qu'il ne m'annonce que je peux ouvrir les yeux.

– Renault Fuego, moteur à turbocompresseur, c'est écrit dessus, tu vois ? Je l'ai achetée neuve en 1984. Un bijou à l'époque. Cent cinquante mille kilomètres. Parfaitement entretenue. Elle est à toi, si tu veux. Ça me ferait plaisir de la voir rouler à nouveau.

– Gustave a même fait refaire la carrosserie après le talus. Mais il n'a jamais voulu la vendre, ajoute Valentine.

– Ça ne se vend pas une voiture comme ça. Ça se termine ou ça se transmet, précise-t-il, presque contrarié qu'elle ait pu évoquer l'idée de la céder à un inconnu.

– Il ne faut pas que je l'abîme !

– Si je te la donne, elle est à toi, tu n'as pas de comptes à me rendre. Elle te plaît ?

– Elle est originale. Je vais faire sensation si je vais chercher Anna-Nina à l'école à bord de ce bolide.

– Et tu as vu, précise Valentine, il y a même encore le couvre-siège à boules pour masser le dos.

– Ça, tu peux l'enlever, concède Gustave, qui sent la pointe de moquerie dans la voix de la jeune femme. Tu l'essayeras demain, dans la cour, pour voir si elle te convient.

– Je te la rachète, on est d'accord ?

– Garde tes sous. Je n'emmènerai rien dans ma tombe ! Tu me conduiras pour faire mes courses quand j'en aurai besoin. C'est un bon troc.

– Alors merci. Ça me touche.

– En plus, je suis sûr qu'Anna-Nina va l'adorer. J'ai trois Fuego miniatures sur le buffet, avec lesquelles elle joue dès qu'elle vient me voir.

– C'est une vraie passion !

– Plus que ça, répond Valentine à sa place. Il a pris soin de sa voiture comme certains hommes de leur femme.

– Faute de mieux, ajoute l'homme qui ouvre la portière et s'installe sur le siège passager, m'enjoignant de prendre place au volant.

– Tu veux la démarrer ?

– Demain, quand je pourrai la sortir dans la cour. On ne va pas l'allumer pour rien.

– Ce n'est pas rien de l'entendre ronronner. Tu verras, tu y prendras goût.

Valentine nous regarde à travers le pare-brise, comme si elle pensait que deux hommes qui parlent voiture n'ont pas besoin de la présence d'une femme.

– Continue quand même à prendre soin de ma Valentine, sinon, ça va me retomber dessus, ajoute-t-il à voix basse.

– Je suis capable de prendre soin d'une petite fille, d'une femme et d'une voiture en même temps...

S'ensuit une longue explication de Gustave à propos de toutes les commandes, toutes les fonctions, les rangements, les données techniques. Il manifeste tellement d'enthousiasme qu'il n'est même pas imaginable que je l'interrompe. Valentine a fini par rentrer chez elle. Elle doit déjà commencer à être jalouse.

Si des hommes sont capables de prendre soin d'une voiture comme d'une femme, des femmes doivent bien être capables d'être jalouses d'une voiture comme d'une autre femme...

22

Un oiseau à une aile

Gustave a probablement rêvé de Fuego cette nuit. Il l'a déjà évoquée avec Éric au petit déjeuner.

Ils ont laissé partir Valentine à l'école. Le premier mercredi qui suit le grand jour est toujours propice aux réajustements de dernière minute, une fois la rentrée éprouvée. La maîtresse redispose et compose pendant que les enfants se reposent.

Les deux hommes ont ouvert les deux battants de l'énorme porte en bois de la grange, laissant apparaître la bâche rouge qu'ils avaient pris soin de remettre la veille. Ils attendent qu'Anna-Nina ait fini de prendre son petit déjeuner pour faire ce petit tour dans la cour, et peut-être sur le chemin qui part derrière la maison.

D'un commun accord, ils décident de voir si le bruit du moteur fait venir la fillette qui termine ses tartines en lisant une bande dessinée. Gustave s'installe sur le siège passager, introduit la clé dans le neiman et sourit à Éric en guise d'autorisation de la tourner. Ce dernier, un peu intimidé par la situation, ose à peine poser les mains sur le volant. Il vérifie le point mort et met le contact, le pied sur l'accélérateur. Elle démarre au quart de tour dans un ronronnement fort sympathique. Lorsqu'il se tourne vers Gustave, il le voit les mains posées sur le tableau de bord, les yeux fermés et un sourire béat sur les lèvres. Manifestement, l'homme éprouve un plaisir certain à retrouver ces sensations.

– Tu vois, mon gars, j'ignore ce qu'on ressent quand une femme vibre sous des caresses, mais je ne dois pas être bien loin de le savoir à cet instant précis.

– Est-ce bien raisonnable de comparer ?

– Non, mais on s'en fiche ! On est entre nous. Et curieuse comme je connais ta fille, elle ne va pas tarder à rappliquer.

À peine a-t-il terminé sa phrase que la porte de la cuisine s'ouvre et laisse surgir Anna-Nina qui court en direction de la Fuego.

Éric a baissé la vitre et l'interpelle :

– Où allez-vous donc ainsi, mademoiselle ?

– Je vous retourne la question, cher monsieur.

– Au bout de la cour, je vous y emmène ?

Anna-Nina s'installe à l'arrière, boucle la ceinture de sécurité et sourit à Gustave qui s'est retourné pour vérifier qu'elle était bien calée.

– Elle te plaît la nouvelle voiture de ton papa ?

– C'est ta nouvelle voiture, papa ?

– Ça se pourrait, oui ! Tu voudras que j'aille te chercher à l'école quand Valentine ne rentrera pas tout de suite après la classe ?

– Ben oui ! Elle est trop belle !

– La vérité sort de la bouche des enfants, conclut Gustave, fier comme un paon.

Le petit tour est probant pour les trois occupants, heureux du marché conclu. Il ne reste qu'à prendre rendez-vous pour le contrôle technique, et à régler les papiers administratifs et l'assurance. Éric se réjouit à l'idée de disposer d'un véhicule. La roulotte endosse doucement le statut de chambre à coucher et les chevaux, installés sur le mont Saint-Jean, au milieu du troupeau de chèvres, semblent plutôt satisfaits de leur nouvelle condition.

Gustave tient à guider le conducteur pour garer la voiture en marche arrière dans la grange, puis il annonce qu'ils ont à faire avec Anna-Nina. Celle-ci n'a pas besoin de plus d'explications pour filer dans la maison chausser des baskets, pendant que Gustave prépare un peu de matériel dans sa vieille carriole à deux roues.

La gamine s'y installe, enthousiasmée par ce moyen de transport inédit, même si elle sait qu'elle devra descendre et l'aider à tirer la charrette au plus fort de la pente. Ce qu'elle fait peu de temps après.

Elle ne boude pas le plaisir d'y sauter à nouveau dès que le chemin redevient plat, malgré la courte distance qu'il leur reste avant de traverser le pré cabossé. Cela s'avère chaotique, mais les grandes roues bien gonflées absorbent la plupart des bosses et des creux dissimulés dans l'herbe haute.

Gustave observe Anna-Nina qui le précède dans la descente vers l'arbre ; elle ouvre grand les mains pour caresser ces herbes hautes, dont la tige rouge aboutit à un bouquet de grains blancs qui dansent sous le vent. Le vieil homme le fait aussi à chaque fois qu'il a les mains libres et il pense à tous ces gens qui oublient de se connecter à la nature, sous prétexte que ce sont des trucs de gamins.

La petite a pris de l'avance, elle est déjà assise sur la première branche, dans le siège en écorce, quand Gustave gare la carriole au pied de l'arbre.

– Bon ! Alors ! Parlons de choses sérieuses ! Il faut qu'on fasse des plans. Et pour ça, il faut que tu grimpes ! Tu vas me dire au fur et à mesure où sont les branches et moi, je reste en bas et je note. Tu veux ?

– Évidemment ! On va devoir en couper ?

– Couper des branches pour faire la cabane ? Sarcophage !!!

– Tu te moques de moi ! répond-elle en faisant semblant d'être fâchée.

– Oui, un peu ! avoue Gustave, amusé. Mais c'est pour de rire.

– Tu sais, toi, c'est différent, mais normalement, je déteste qu'on se moque de moi.

– Pourquoi donc, ma petite ?

– Parce que ça veut dire que je suis nulle, ou ridicule.

– Ce n'est ni grave de faire des erreurs, ni grave d'en rire.

– Oui, mais après les autres nous jugent.

– Tu t'en fiches du regard des autres. On a tous un nez de travers, la voix trop haute, une oreille décollée, des kilos en trop, les cheveux trop fins, trop épais, trop raides ou trop bouclés, et que dire de la vitesse à laquelle on court, de la façon dont on dessine, dont on chante, danse, rit. Tu vois, on est tous différents, et personne n'a le droit de

classer ce que tu es ou ce que tu fais dans la case « bien »
ou « pas bien ».

– Pourtant, c'est ce qui arrive.

– Oui, et ça arrivera toujours, parce que plein de gens
n'ont pas compris ce qui était important, mais tu n'es pas
responsable de ce que disent les autres. En revanche, tu
es responsable de comment tu l'entends, et tu peux décider de t'en fiche complètement.

– J'essaie, mais c'est plus fort que moi.

– Alors la prochaine fois que tu as peur de ça, pense à
notre sarcophage et dis ma phrase dans ta tête : « Ce
n'est ni grave de faire des erreurs, ni grave d'en rire. »

– Papa aussi, je sais qu'il a peur de ce que vont penser
les autres, à propos de notre vie.

– Votre vie est très différente, parce que votre histoire
est très particulière. Tu ne peux pas juger un oiseau qui
ne vole pas comme les autres parce qu'il a un bout d'aile
en moins.

– Ben non, c'est pas de sa faute et il fait de son mieux.

– Pareil pour ton papa. Et pareil pour toi. Ne laisse
personne critiquer ta façon de voler. Promis ?

– Promis !

– Bon, on le fait ce plan ? Tu as besoin de la corde à
nœuds ou tu arrives à grimper toute seule ?

– Je sais voler sans corde jusqu'à la branche au-dessus !

Après lui avoir lancé le mètre-ruban, Gustave s'installe
au pied de l'arbre, saisit son carnet et son crayon et note
les mesures et la disposition des différentes branches. Il lui
explique qu'en hauteur, comme elles sont plus souples, ils
pourront les dévier un peu en fonction des plans mais

qu'ils tâcheront de ne pas abîmer l'arbre, ni avec une scie, ni avec des clous ou des vis. Il leur suffira de bien réfléchir à la conception, de faire tenir la structure de planches avec des cordes ou des morceaux de chambre à air et de s'adapter à la morphologie du tilleul pour y parvenir. Il admet que si une branche venait vraiment perturber l'ensemble, ils pourraient la couper proprement car l'arbre est suffisamment puissant pour s'en remettre, cicatriser et envoyer sa sève ailleurs.

– Comme quand il manque un bout d'aile à un oiseau, déduit Anna-Nina.

– C'est ça !

– Et comme papa aussi ?

– Ton papa, il a perdu toutes ses plumes d'un coup, tout ce qui le rendait léger, mais ça repousse, ça repousse !

– Il pourra bientôt voler comme avant ?

– Oh, tu sais, il manquera toujours quelques plumes, mais même s'il vole moins haut, ce qui compte c'est de voler. Il réapprend.

Tout en poursuivant ses notes au fur et à mesure des indications de la fillette, Gustave se dit que la vie est sacrément malicieuse d'avoir envoyé l'orage sur leur roulotte en juin. Il pense à ce que chacun peut apporter aux autres, avec ce qu'il est, ce qu'il fait, et à la richesse incroyable des interactions humaines, surtout quand celles-ci s'imbriquent parfaitement comme les pièces d'un puzzle.

La foudre tombe-t-elle vraiment au hasard ?

23

Le bocal à bonbons

J'attends Gaël. Il est prévu qu'il partage notre déjeuner ce samedi, ainsi qu'une partie de l'après-midi, pour mettre en place les modalités de ses décisions radicales. Je ne le lâche pas. Cette première semaine d'école lui a occupé l'esprit et les rares fois où nous avons parlé de lui, il semblait motivé pour mettre de l'ordre dans sa vie et dans son corps. J'ai le sentiment qu'il change, qu'il a décidé de ne plus s'apitoyer sur son sort comme au printemps, quand il était tombé amoureux. Peut-être a-t-il eu ce déclic nécessaire, quand on arrive au bout du bout de soi, pour prendre conscience qu'il faut évoluer. Cependant, le changement qu'il envisage est colossal et je crains qu'il ne mette la barre trop haut. Mais nous l'aiderons à la franchir, ou à la baisser un peu. Je ne suis pas sa meilleure amie pour rien. Et Éric semble disposé à l'accompagner.

Un peu plus tôt dans la matinée, j'étais au jardin avec Gustave pour récolter tout ce dont j'avais besoin. J'aime parfois me lever très tôt. Je savoure cette impression de voir le monde se réveiller, les premiers bruits du jour, les lumières plus vives, tout ce temps que l'on a devant soi, moi qui en manque souvent. Le village est déjà bien calme d'habitude, mais à 6 h 30, un samedi, nous étions les seuls à être sortis de la nuit.

Du moins, je le croyais.

C'est un petit cliquetis discret qui m'a incitée à lever la tête en direction de la route qui longe notre jardin vers la forêt. L'homme était déjà à notre hauteur et il marchait d'un pas rapide. Il n'a d'abord fait que jeter un regard rapide dans ma direction. Puis un deuxième, après quelques pas. Au milieu d'un visage impassible, j'y ai vu la même puissance que dans la forêt. Le même mystère, la même détermination. Cette sorte d'évidence, de certitude, qui ne laisse de place ni au choix, ni au doute. Un frisson m'a transpercé le ventre et je suis restée immobile en le regardant partir. Je crois que j'attendais qu'il se retourne une dernière fois mais il n'en fut rien. La hache accrochée à son sac à dos poursuivait son cliquetis contre un mousqueton, au rythme de ses pas.

– Vous vous connaissez ? m'a demandé Gustave

Je crois que j'ai sursauté. Ce retour si soudain à la réalité. Et cette peur de me trahir.

– Non, pas du tout, ai-je menti. Je crois que c'est un bûcheron qui travaille un peu plus haut. Tu l'as déjà vu dans le village ?

– Non. On m'a dit qu'un homme s'était installé il y a peu dans la maison à louer, près de la mairie. Ça doit être lui.

– Sûrement.

Puis je lui ai parlé d'Anna-Nina en essayant de savoir ce qu'ils complotaient dans notre dos. À vrai dire, je ne tenais pas à percer leur secret, je voulais seulement qu'il arrête de me parler du bûcheron, comme j'aurais aimé que la brûlure dans mon ventre ne se réveille pas.

La fillette est partie chercher le pain à la camionnette du boulanger, toute seule, avec un petit porte-monnaie et une grande fierté. Nous entendons quand la vendeuse klaxonne en bas du village, ce qui laisse le temps de rejoindre le parking de la mairie où elle fait son dernier arrêt. Je lui ai demandé de me prendre de la levure et du sucre – nous ferons une brioche pour demain matin. J'ai calculé l'argent pour lui laisser un peu de marge, avec l'autorisation d'acheter quelques bonbons avec le reste. C'est un plaisir rare donc intense pour elle.

Gaël se gare un quart d'heure plus tard devant la maison.

– J'ai aperçu une petite fille sur le bord de la route, chargée d'un pain presque plus long qu'elle. Si le bout manque, c'est qu'il aura raclé le sol.

– Ou qu'elle en aura grignoté un morceau.

– Elle n'a pas voulu finir la route avec moi.

– Son père lui a appris à ne pas monter avec n'importe qui !

– Très drôle ! Ah, eh bien, la voilà ! Elle n'est même pas essoufflée ! Comment fait-elle avec la pente de la route que vous avez ici ?

– C'est une brindille, le vent la porte.

– Ce que j'aimerais ressentir ça, un jour !

– Si déjà tu pouvais avoir le cœur léger, ça te donnerait un aperçu !

– Je suis en retard, désolé, mais l'agent immobilier m'a appelé pour passer voir la maison. Je me dis que plus vite elle partira, mieux ce sera. J'ai eu Geneviève au téléphone. Elle est d'accord sur tout pour la séparation.

– Tu as cette chance-là que ça se passe bien entre vous, même si c'est soudain et brutal. L'agent pense qu'il va pouvoir la vendre facilement ?

– Il en est sûr. Cela dit, c'est un agent immobilier, hein ? Mais il a déjà plusieurs acheteurs potentiels qui cherchent ce genre de produit. Il les contacte aujourd'hui. Je suis soulagé. Nous n'avons pas fixé un prix prohibitif. J'ai besoin que les choses se fassent rapidement.

– Tu vas quand même devoir la vider. Et puis, même avec un acheteur immédiat, le temps des papiers chez le notaire et la banque, tu en as pour trois mois.

– Je sais. Mais j'ai commencé les cartons. D'ailleurs, y aurait-il un coin dans la ferme où je pourrais laisser ce que je n'emmènerai pas dans le gîte ? Je mets quelques petites choses chez mes parents, mais ils n'ont pas beaucoup de place.

– C'est peut-être le moment de trier un peu ?

– Dans l'urgence, ce n'est pas facile, et il y a des souvenirs dont je ne veux pas me séparer !

– Nous trouverons !

Nous nous sommes assis sur les marches en grès de la maison, Gaël sur la plus basse et moi sur celle du milieu afin d'être à la même hauteur pour assister à l'arrivée d'Anna-Nina, en l'encourageant par nos applaudissements, comme au passage du Tour de France. Elle se met à tirer la langue pour signifier l'effort intense, mais ses yeux pétillent d'indépendance. Le bout est grignoté. Elle va déposer son fardeau dans la cuisine et vient nous rejoindre en s'asseyant sur la plus haute marche, puis nous montre les cinq bonbons qu'elle s'est offerts. Elle aurait pu en prendre le triple avec la monnaie, mais son père lui a appris à se contenter de peu, de très peu même, pour se sentir heureuse. Quand elle nous en propose un, nous refusons évidemment d'entamer son trésor, et je lui suggère d'aller chercher un petit bocal dans l'arrière-cuisine et de le décorer d'une étiquette pour signifier que c'est sa réserve à bonbons. Gustave est un prédateur redoutable pour ce genre de douceurs. Seul le prénom de la petite sera efficace pour neutraliser sa gourmandise. Et en parlant du loup, il débouche au coin de la maison, en provenance du jardin, une énorme laitue dans une main et un bouquet de fleurs dans l'autre. Il s'approche en tapant ses sabots en bois sur le sol pour les débarrasser de la terre qui s'y est accrochée. Quand il arrive devant nous, il me tend la laitue et offre le bouquet de fleurs à Gaël. Cet homme est une bonne définition de l'anticonformisme. Il propose ensuite à Anna-Nina de trouver une coupe pour aller récolter les fraises des bois. Il y consacre un carré entier dans son jardin et l'agrandit d'année en année.

En courant vers le potager quelques instants plus tard, elle croise son papa qui revient d'un footing. Ils échangent un baiser d'esquimaux, du bout du nez, pour éviter les zones mouillées par la transpiration. Je le regarde s'approcher avec mon regard de femme pour un homme qui lui donne du plaisir, alors que Gaël ne voit probablement que celui qui va le faire souffrir pendant de longues semaines.

— Je ne vais jamais y arriver, me souffle-t-il discrètement, avant qu'Éric vienne s'asseoir à nos côtés.

— Tu n'as plus vraiment le choix, nous prenons tous très à cœur notre mission.

— Je vais mourir avec lui.

— Au contraire, je parie que tu vas te sentir revivre.

— Qui va mourir avec qui ? questionne Éric en s'affalant sur le petit carré d'herbe en bas de l'escalier.

— Rien, rien. Ça va ? enchaîne Gaël pour faire diversion.

— Oui, j'ai trouvé un chemin sympa, presque plat, qui part de Solbach et rejoint la Perheux. Je ne le connaissais pas encore.

— Rien n'est plat, ici ! s'inquiète Gaël.

Éric se redresse et ôte son T-shirt trempé pour s'allonger torse nu dans l'herbe afin de sécher au soleil malgré le filet d'air frais de ce mois de septembre. Je surprends le regard de Gaël sur lui et j'y lis un mélange d'envie et de tristesse. J'entends aussi dans son soupir qu'il espère discret le dégoût qu'il ressent pour son propre corps.

Nous restons silencieux un moment, profitant des derniers rayons d'été. J'ai posé ma main sur l'épaule de Gaël. Je sais à quel point ce geste a de l'importance pour lui.

Seul le bruit d'une tronçonneuse au loin m'empêche d'être pleinement sereine.

Éric finit par se lever pour aller prendre une douche. Gaël attend d'entendre l'eau couler dans la salle de bains pour se redresser.

– Tu m'étonnes qu'il te donne du plaisir, avec le corps d'athlète qu'il a.

– Le plaisir n'a rien à voir avec la plastique.

– Un peu quand même, non ?

– Non !

– Le jour où tu arriveras à m'en persuader… !

– J'y arriverai. Mais il faudrait surtout que tu t'en persuades toi-même. Allez, viens mettre le couvert, nous allons bientôt passer à table.

– La vie est quand même sacrément injuste.

– Elle est ce qu'elle est, trouves-y ta place !

– J'en prends trop, justement.

– C'est la mauvaise image de toi qui prend toute la place. Laisses-en un peu pour de la bienveillance, le reste suivra.

Pendant tout le repas, nous avons eu des discussions anodines, comme pour repousser le sujet qui est censé nous occuper aujourd'hui, mais si délicat à aborder. C'est au dessert, alors qu'un silence s'est installé, qu'Anna-Nina demande entre deux fraises des bois :

– Pourquoi personne ne dit plus rien ?

– Parce qu'on sait tous de quoi il faudrait parler mais peut-être que personne n'ose commencer, dis-je après quelques secondes.

– Vous devez parler de Gaël, c'est ça ? poursuit-elle sans détour.

– Oui, on doit parler de moi, de mon déménagement,

de mon régime, de tout ce que ça implique, de ma capacité à relever le défi. Ou pas. Mais c'est difficile.

— De toute façon, dit Gustave, on a un truc à faire avec Anna-Nina dans l'atelier. Tu viens ?

— Et moi, je vais un peu bricoler dans ma roulotte, ajoute Éric.

— Ils nous laissent la vaisselle, ou bien ? plaisante Gaël.

C'est en effet près de l'évier que nous entamons la discussion, en comité restreint. C'est mieux ainsi. Nous l'aiderons à faire ses derniers cartons et à emménager au plus vite chez madame Marsan. Le logement est libre, il peut s'installer progressivement.

— Tu viendras aussi manger à la maison.

— Pas toujours quand même ?

— Et pourquoi pas ?

— Parce que je ne veux pas déranger.

— Déranger qui ?

— Ben toi, Gustave, Éric et sa fille.

— C'est vrai que t'es un boulet dont personne ne veut.

— C'est le sentiment que j'ai depuis quelque temps. Entre Stéphanie et Geneviève…

— Deux expériences amoureuses malheureuses ne font pas de toi un paria. Tu es le bienvenu ici et tout le monde est d'accord sur ce point.

— Tu leur as demandé ?

— Évidemment !

— Ça me fait bizarre d'imaginer que vous avez parlé de moi comme ça.

– Et encore, tu ne sais pas tout.

– Ça, c'est pour me faire marcher !

– Non, pour te faire marcher, c'est Éric qui s'en charge. Il a déjà commencé à repérer les chemins autour du village. Moi, je me charge de la diététique !

– Et tu as prévu quoi pour moi ?

– J'ai lu plein de choses sur le sujet. Beaucoup de légumes, des protéines, des sucres lents à index glycémique bas, et l'arrêt des sucres rapides et du grignotage.

– Sauf le chocolat, hein ?

– Surtout le chocolat !

– Je ne peux pas me passer de chocolat.

– Alors à petites doses et du très noir.

– Je vais mourir une deuxième fois avec toi.

– Mais non, tu verras à quel point tu te sentiras vite mieux.

– Tu crois que j'en aurai la volonté ?

– Tu n'auras pas le choix. Je te propose même de n'avoir chez toi que des fruits, pour éviter la tentation.

– Je vais me sentir vide et je n'aurai rien pour me remplir.

– Ah, justement ! Parlons-en. Je pense qu'au préalable, tu devrais aller voir la thérapeute qui s'est occupée de moi. Tu as besoin de comprendre pourquoi tu manges.

– Ben parce que j'ai faim.

– Que tu crois !

– Et si je n'ai pas très envie de le savoir ?

– Tu as envie de perdre du poids ?

– Oui…

– Alors, donne-toi tous les moyens pour y parvenir, y

compris aller touiller au fond de toi pour savoir ce que tes émotions ont à t'avouer.

– Les femmes aiment bien touiller, n'est-ce pas ?

– Il ne fallait pas nous laisser des siècles de popote à gérer ! Touiller s'est inscrit dans nos gènes en tournant la blanquette de veau, le bœuf bourguignon et la sauce béchamel.

– Bon. J'ai le choix ?

– Non. D'ailleurs, j'ai pris un rendez-vous pour mercredi. Il te suffit d'appeler pour confirmer.

– Ce mercredi ?

– Ben oui, pourquoi, tu as autre chose ?

– Non. Mais c'est court.

– Il faut te lancer rapidement dans le mouvement, sinon tu ne le feras jamais.

– Tu es pénible à me connaître aussi bien.

– C'est parce que je te connais que je vais pouvoir t'aider, non ?

24

Un cœur trop gros

Je n'ai pas vraiment besoin de bricoler dans ma roulotte, mais il fallait que je m'éclipse, alors je joue quelques accords sur ma guitare folk, pour rester discret. Les doigts de ma main droite se délient doucement pour gratter les cordes. J'avais perdu l'habitude des enchaînements. Mais mon oreille est intacte et je retrouve le plaisir de jouer. Hélène doit voir tout cela d'un bon œil. Jamais elle n'aurait voulu que je m'arrête après sa mort, jamais elle ne m'aurait empêché de refaire ma vie, jamais elle ne m'aurait jugé sur ma façon d'élever Anna-Nina. Je me suis mis sept ans de bâtons dans les roues, à m'interdire d'être heureux et à donner une image de père triste à ma fille.

C'est peut-être moi que je suis venu retrouver en cherchant un toit cette nuit d'orage de juin. Sur cette réflexion et un *la* mineur, j'entends frapper au carreau.

Gaël monte les trois marches et se baisse pour passer la porte d'entrée. Je me suis levé et je range ma guitare avant de lui proposer de s'asseoir. J'ouvre le frigo et j'en sors deux bières.

– Il faut qu'on commence sur de bonnes bases, toi et moi, si on veut tenir la distance. Tu aimes la bière ?

– Il y a des hommes qui n'aiment pas la bière ?

– Celle-ci vient du Massif central, cuvée spéciale.

– La Gaëlienne ? En effet, elle est faite pour moi.

– Pas fait exprès. Savoure-la, tu ne vas pas en avoir souvent dans les prochains temps. Ça rigole pas avec Valentine. Elle t'a préparé une diététique de sportif anorexique.

– Arrête, tu me fais peur.

– Non, ne t'inquiète pas. Ce qu'elle dit est logique et, si tu bouges comme j'ai prévu de te faire bouger, tu devrais perdre à un bon rythme. Ni trop vite, ni pas assez. Tu as un objectif ?

– La barre fatidique…

– Des cents kilos ?

– Exactement !

– Tu es à combien ?

– Cent vingt-cinq aux dernières nouvelles. Peut-être plus.

– C'est ton premier régime ?

– Oh non, ça doit être le cinquante-septième. Ceux où on perd trois kilos et où on en reprend quatre.

– Il faut perdre doucement et redévelopper les muscles. Ce sont eux les gros consommateurs de calories.

– Tu sembles en connaître un rayon, toi aussi.

– Je me suis renseigné sur pas mal de choses quand il a été question de réfléchir à l'alimentation d'Anna-Nina.

– Le problème, c'est que j'ai très vite mal au dos, aux genoux, aux chevilles.

– On va s'adapter, ne t'inquiète pas. Mais avant toute chose j'ai deux questions.

– Vas-y ?

– La première : es-tu motivé pour perdre du poids ? La deuxième : me fais-tu confiance pour t'accompagner dans ton programme de remise en forme ?

– Oui et oui. Croix de bois, croix de fer.

– OK. Alors, la première chose à faire, c'est d'aller voir un médecin et de lui demander un bilan, en particulier pour voir si tu ne fais pas du diabète. Et un électrocardiogramme aussi, pour voir si tu as le cœur solide.

– Valentine te dira qu'il est trop gros.

– Je parle de muscle, pas d'amour.

– Elle veut que j'aille voir sa thérapeute pour comprendre d'où vient mon problème de poids.

– Elle a peut-être raison. Ça lui a fait beaucoup de bien en juin.

– Tu la trouves changée ?

– Elle est beaucoup plus détendue, non ?

– Oui.

– Tu ne risques pas grand-chose à essayer.

– Certes. Et tu as prévu quoi pour moi ?

– D'être ton pire cauchemar.

– Ah.

– On va commencer doucement mais intensément.

– Tu m'expliques comment on peut faire doux et intense à la fois ?

– Je te propose un entraînement très régulier, c'est-à-dire au moins une heure par jour, deux seraient mieux, mais en commençant par des sports doux.

– C'est drôle, je n'aurais jamais songé à coller « doux »
à côté de « sport ». Tu penses à quoi ?

– La marche, le vélo elliptique, la natation.

– Je n'ai ni vélo elliptique, ni piscine.

– Pour le vélo, ce n'est pas un problème. Je vais te trouver ça. Du moment qu'il rentre dans la Fuego !

– Celle de Gustave ? Il te la prête ?

– Il me la donne. Et au pire, je le ferai livrer.

– Tu es dans ses petits papiers, dis donc ! Et pour la
piscine ?

– Tu aimes nager ?

– Oui, beaucoup, mais je déteste aller à la piscine muni-
cipale. Le regard des gens est une ceinture de plomb qui
te fait couler tout au fond.

– Valentine ne t'a pas dit ? Au bout de la rue où tu vas
habiter, il y a un autre gîte, avec une piscine couverte. Ils
louent surtout l'été. Le reste de l'année, ils te laissent un
accès libre à l'eau. Elle est petite, mais il y a un contre-
courant. Peu chauffée, mais ça te fera dépenser encore
plus d'énergie. Elle a pensé à tout, hein ?

– Je vais vraiment mourir avec vous deux !

– Mais non ! On commence quand tu viens t'installer
au village. Va faire ton bilan en début de semaine. Et tu
expliques la raison de ta demande.

– J'irai voir Claude, l'ami de Valentine, comme ça, il ne
sera pas loin si mon cœur lâche.

– Tu devrais effectivement lâcher un peu au niveau du
cœur.

– Ah ! Là, je crois que tu ne parles plus du muscle,
alors que moi si.

– Ah, j'oubliais. Il te faudra des chaussures de marche et des baskets.

Je l'ai vu se détendre au fur et à mesure de notre discussion. Je ne lui ai pas montré ma crainte, mais j'espère quand même que son cœur ne va pas lâcher pour de bon.

Finalement, en juin, il m'avait laissé l'image d'un homme fragile et sirupeux, mais je le découvre sous un autre jour. Il a peur de ce qui l'attend, mais il y va quand même. La tâche est gigantesque, et il va souffrir. Je risque d'être vraiment son pire cauchemar, après les repas de Valentine. Mais quand je pense au plaisir que je ressens à courir le matin, à sentir les endorphines qui commencent à baigner mon corps, me mettant en léger état de flottement, je me dis qu'il passe à côté de quelque chose d'agréable, parce que ses articulations ne le lui permettent pas. Je ne sais pas s'il a toujours été gros ou si cela s'est installé avec le temps. Je lui poserai la question.

Finalement, ce coaching me donne une raison supplémentaire d'être revenu.

25

Donner de la douceur à l'enfance

L'atelier de Gustave foisonne d'outils et de matériaux divers, du plus petit clou aux plus grosses planches. Et tout est parfaitement rangé, trié, organisé, dans des boîtes de récupération. Un établi occupe tout le mur du fond avec un étau fixé à l'une de ses extrémités. Une plaque de contre-plaqué, dans laquelle sont fichés des clous, des crochets, des vis, accueille tous les outils dont il dispose, avec l'empreinte de ceux-ci dessinée au marqueur sur le bois. L'une des devises de Gustave se vérifie ici : « Une place pour chaque chose et chaque chose à sa place. » Anna-Nina la connaît et la comprend, elle qui a grandi dans un espace réduit, où le rangement est presque une question de survie.

Gustave l'a installée sur le gros billot qui lui sert à fendre son petit bois pour allumer le feu et il a cherché un tabouret pour s'installer à sa hauteur. Il a sorti des feuilles de papier, ses notes et deux stylos.

– Toi, tu vas noter sur cette feuille tout le matériel dont nous avons besoin pendant que moi je dessine les plans. Ça te va ?

– Tu crois qu'on aura tout ce qu'il faut ?

– Je crois qu'on pourrait faire douze cabanes avec ce que j'ai ici. Et puis, le jour de la rentrée, ton père m'a accompagné pour acheter les derniers éléments qui manquaient. Des poulies en particulier. Tu sais ce que c'est ?

– Évidemment ! Papa en a installé une au-dessus de mon lit pour que je puisse jouer avec mes Playmobil. Il leur a même fabriqué une tyrolienne amovible. Tu sais ce que ça veut dire, amovible ?

– Ta candeur ne l'est pas en tout cas, répond Gustave en riant. Tu sais ce que ça veut dire candeur ?

– Non, je connais chandeleur, c'est quand on fait des crêpes.

– Eh bien, tu enlèves quelques lettres et ça donne la définition de ce qui fait la douceur de l'enfance.

– Les crêpes aussi, ça fait de la douceur à l'enfance.

– Et toi, tu fais de la douceur à ma vieillesse. Bon ! Pour revenir à la poulie, nous en aurons d'abord besoin pour monter du matériel, et après, tu pourras les utiliser quand tu iras y jouer. Au fait, tu sais ce que c'est comme arbre ?

– Un tilleul. Papa m'a appris tous les arbres. Et on en cueille tous les ans pour faire de la tisane.

– Et elle a quelles vertus, cette tisane ?

– Quand on a mal au ventre parce qu'on est énervé ou pour mieux dormir.

– Tu sais tout ! Tu as un papa formidable, qui t'a beaucoup appris.

– Et encore, c'est pas fini. Il est d'accord pour la

guitare électrique, mais il veut que j'apprenne avec sa guitare normale d'abord.

– Il a raison.

Gustave reprend les mesures et le plan des branches qu'Anna-Nina lui a transmis lors de leur escapade dans le grand arbre. Il lui explique qu'ils commenceront par fabriquer une première plate-forme, là où les branches permettent de la poser. De cette plate-forme partira une échelle, pour rejoindre un deuxième espace, puisque c'est une zone sans aucune branche qui permet de grimper plus haut. Il envisage de rendre amovible un bout de cette échelle pour qu'on puisse s'isoler tout en haut. Enfin, dans la cime, un dernier espace, si possible couvert, pourrait être installé, avec un accès par les dernières branches qui sont beaucoup moins espacées.

Anna-Nina se voit déjà princesse dans son château, une épée à la main, prête à le défendre de toute intrusion non désirée.

– Nous allons commencer par le premier espace, tu es prête ?

Le vieil homme lui dicte alors le nombre de planches, de tasseaux, le type de clous, leur longueur. La petite se concentre sur son écriture, pose des questions quand elle ne connaît pas un terme technique, se réjouit de mettre en pratique la réalisation de ce plan prometteur.

– C'est dommage que t'aies pas eu d'enfants, ils auraient été heureux avec toi, lance-t-elle entre deux lignes d'écriture.

– C'est comme ça, tu sais. On ne choisit pas toujours ce qui se présente à nous. Et puis, j'ai un peu élevé Léonie, la maman de Valentine. J'avais quatorze ans quand elle est née, j'étais même présent à l'accouchement.

– C'est vrai ? Oh, là, là, ça doit être impressionnant !

– J'ai failli tomber dans les pommes, mais c'est magnifique.

– Ça doit faire mal, non ?

– Oui, je crois, mais les femmes sont fortes et solides. Plus que les hommes !

– Et Valentine, tu étais là quand elle est née ?

– Oh non ! C'est son papa qui y était. Je l'ai vue régulièrement, comme on voit sa petite-fille, et puis un jour, elle est venue s'installer ici. Je l'aime comme si elle était de ma famille.

– Moi aussi, je t'aime comme si tu étais de ma famille, ajoute Anna-Nina en serrant ses bras autour du cou de Gustave.

– T'es un rayon de soleil, petite ! N'oublie jamais ça !

26

Une lumière dans la nuit

Gaël est reparti avec dans le regard un mélange de mélancolie et de reconnaissance. Les yeux d'un clown triste de savoir qu'on ne peut pas rire de tout. Il est motivé mais défaitiste, tellement inquiet de ne pas réussir et d'ajouter à ses échecs de cœur un échec du corps. Je lui ai lancé, alors qu'il commençait à rouler vitre ouverte : « On ne te laissera pas baisser les bras », ce à quoi Éric a ajouté : « Et on te fera lever les jambes ! » Il a répondu par trois coups de klaxon rapides avant de disparaître au bout du chemin.

Éric m'a annoncé qu'il était temps pour lui d'aller dire au revoir à sa femme.

– Tu as un feu d'artifice ?

– Une fusée de détresse. Je n'ai trouvé que ça au magasin de bricolage. Mais c'est assez significatif, non ?

– Tu vas laisser partir ta détresse avec la fusée.

– Voilà. Je peux prendre ta voiture ? Et j'ai besoin de quelques indications pour trouver la route. Je te mettrai un petit message quand j'arriverai en haut. Je vous laisserai le temps de monter sur le chemin plat. Tu es toujours d'accord pour expliquer à ma fille ce que je serai en train de faire ?

– Bien sûr. Et je la coucherai ensuite. Tu pourras prendre le temps nécessaire pour redescendre.

Puis il est parti préparer un sac avec ladite fusée, une lampe de poche, probablement une photo d'Hélène. Il avait le pas lent en rejoignant sa roulotte. Lent et incertain. Comme ça doit être lourd d'aller se préparer à ça. Lourd d'aller pourtant vers la légèreté.

Je me suis vraiment attachée à lui. En dehors de ce deuil qui s'accroche et qui l'empêche de voir aussi loin que moi, il m'offre ce dont j'ai besoin. Du plaisir, de la douceur, de l'intelligence, une fille adorable, de l'humour, du calme, de la relativité. Ce que j'attendais depuis toutes ces années, et que j'arrive enfin à envisager, après cette prise de conscience en juin que l'amour ne veut pas toujours dire risquer d'étouffer.

Alors si en plus, ce soir, cette lumière au Donon lui permet de laisser le passé derrière lui, je me dis que l'avenir est à nous, tout tracé, sans caillou.

Gustave et Anna-Nina sont sortis de l'atelier pour le dîner, que nous avons pris dans une ambiance douce et silencieuse. Éric était passé l'embrasser en lui disant que je lui expliquerais un peu plus tard où il allait. Elle n'a posé aucune question, elle qui est pourtant si curieuse habituellement. Elle sent probablement ce qui se trame au fond de son père. Ils se connaissent par cœur, d'avoir vécu jusquelà dans une symbiose totale.

Je reçois le message d'Éric au moment où sa fille termine son yaourt. Elle sait que c'est le signal et dépose le pot en verre et la petite cuillère dans le lave-vaisselle avant d'aller enfiler sa veste et ses baskets. La nuit tombe doucement et j'ai pris soin d'emmener un plaid pour nous installer dans l'herbe que je suppose déjà humide. Elle a apporté sa lampe de poche pour le retour, même si pour l'instant, les dernières lueurs du jour nous permettent encore de suivre le chemin en y discernant chaque piège.

Elle me donne la main, silencieuse. Et moi, je réfléchis à la façon dont je vais lui expliquer ce que nous allons voir sur la montagne en face. Peut-être ne devrais-je pas trop réfléchir. Et si elle savait déjà tout ?

Je déplie la couverture et nous nous installons côte à côte, collées l'une à l'autre. Il fait bon, et la nuit commence à s'installer. Seul un minuscule croissant de lune apparaît à l'horizon. Un autre enfant aurait probablement peur, mais Anna-Nina a déjà vécu ce genre de situation tant de fois depuis sept ans. Elle doit se sentir bien plus en sécurité ici qu'au milieu d'une ville grouillante de monde. Elle a emmené son vieux doudou et le triture dans tous les sens, son pouce dans la bouche.

– Tu vois la grande montagne là-bas ?

– Oui, c'est le Donon. Gustave m'en a parlé.

– Tu sais ce qu'est allé y faire ton papa ?

– Non, mais ça doit être pour maman. Il était un peu triste en partant et il ne voulait pas m'emmener.

– Tu sais, parfois, on n'a pas le temps de dire tout ce qu'on aurait souhaité avant qu'une personne qu'on aime s'en aille. C'est le cas pour tes parents. Quand tu es née, la sage-femme t'a mise dans les bras de ton papa car ta maman n'allait pas bien du tout. Il a juste eu le temps de l'embrasser et...

– Et après, elle était morte.

– Oui. Et quand on n'a pas eu le temps de tout dire, on a du mal à accepter que la personne soit morte, parce qu'il y a comme quelque chose qui ne peut pas se terminer. Alors on reste triste.

– Ça veut dire qu'il ne le sera plus en rentrant ?

– Ça ne va peut-être pas être immédiat, mais il sent que c'est le moment d'être plus joyeux pour toi, et pour lui.

– Il a déjà recommencé à jouer de la guitare, c'est plutôt bon signe, non ?

– Oui.

– Et il va faire quoi là-haut ?

– Il va lui dire, avec son cœur, ce qu'il n'a pas eu le temps de lui confier au moment de l'accouchement. Et ensuite, il va allumer une grande lumière, quand il sera prêt à laisser partir ta maman.

– Ils partent où les morts ?

– Tu en penses quoi ?

– Papa me dit qu'ils sont dans les jolies choses de la vie. À chaque fois qu'on voyait un arc-en-ciel, en roulotte, il arrêtait les chevaux et me disait que c'était un signe de maman. Ou quand il y avait un vent fort, ou un rayon de soleil au milieu des nuages.

– Et toi, tu crois quoi ?

– Qu'ils sont tous cachés derrière les nuages et qu'ils nous protègent. Et toi ?

– Moi aussi je crois un peu à ça. Personne ne sait vraiment. C'est un domaine où chacun peut décider ce qu'il veut.

– Certains croient qu'on va au paradis quand on a été gentil et en enfer quand on a été méchant, mais j'y crois pas. Les gens sont méchants parce qu'ils sont tristes dans leur vie, c'est pas juste de leur rajouter de l'enfer quand ils sont morts.

Je ne dis rien. C'est suffisamment beau pour se taire. Elle non plus. Elle regarde en direction du Donon. Elle m'a pris la main et a entrelacé ses doigts aux miens. Nous restons ainsi une dizaine de minutes. Cette gamine est autant en mesure de sauter dans tous les sens pendant des heures que de rester immobile et silencieuse de longues minutes. Tous les enfants n'en sont pas capables.

Nous voyons soudain un point lumineux s'allumer au sommet de la montagne qui nous fait face, entouré d'un halo rouge – probablement la fumée que dégage la fusée de détresse. La main d'Anna-Nina serre la mienne. J'aperçois à peine ses yeux, mais je sens l'émotion dans tout son corps.

– Moi aussi, je peux lui dire au revoir ?

– Bien sûr ! Tu veux que je te laisse toute seule ?

– Non, je le dis dans ma tête. Elle était belle, ma maman, hein ?

– Oui, très belle. Je suis sûre que tu lui ressembles beaucoup.

– C'est pas juste qu'elle soit morte.

Je ne réponds rien non plus. Elle a seulement besoin

de l'exprimer. Non ce n'est pas juste, et personne n'y peut rien. À part accepter parce qu'on n'a pas le choix.

La lumière s'éteint alors, et le Donon retrouve sa nuit. Anna-Nina plonge son visage entre mes bras et je la laisse pleurer contre moi, le temps nécessaire.

De longues minutes s'écoulent, avant qu'elle ne me demande, si je pourrais lui lire un livre avant qu'elle s'endorme.

Il n'est jamais trop tard pour une histoire.

Elle prend soin de sortir sa lampe de poche pour le retour. En l'allumant, elle me fait face et place la lumière sous son menton en faisant une grimace. J'aperçois encore une larme accrochée à sa paupière, mais elle rit maintenant de ses facéties et je me dis qu'elle incarne à merveille la définition des arcs-en-ciel.

Nous prenons le temps de profiter de cette promenade nocturne et insolite. Je crois même que j'ai plus la trouille qu'elle. J'ai en tête tout ce qui pourrait nous arriver, alors que personne n'a encore dû lui inculquer ce genre de risques. Quelle chance de pouvoir vivre pleinement son innocence.

Les déséquilibrés ne courent pourtant pas les rues dans notre village d'une petite centaine d'âmes. Comme quoi, les peurs sont souvent infondées, donc ridicules.

Elle s'est endormie sans difficulté après une aventure de Lulu Vroumette. Je bois une tisane en lisant sur mon canapé. Je suppose que son père viendra s'enquérir de la façon dont les choses se sont passées avant de rejoindre sa roulotte.

Une demi-heure plus tard, j'entends la voiture se garer devant la maison. Croquette se lève pour l'attendre à la porte. Il a les yeux rouges et le regard fatigué de celui qui a fait un long voyage. Mais il me sourit.

– Merci. C'était important de le faire. Je me sens triste, mais mieux. Je crois que je vais enfin réussir à tourner la page. Comment a réagi Anna-Nina ?

– Elle a pleuré, et elle lui a dit au revoir également. Elle dort depuis un moment. C'était important aussi pour elle de voir la lumière et de comprendre qu'elle s'est éteinte.

– Et qu'un autre jour va se lever demain matin. Je vais dormir. Merci pour tout.

Éric s'approche de moi et m'embrasse sur le front. Ses lèvres y restent un moment, sa main prend la mienne et la serre fort, comme tout à l'heure Anna-Nina. Puis il part sans me regarder. Je crois que quelques larmes ont encore besoin de couler.

27

Un grand frère pour l'anniversaire

Demain, nous serons le 19 juin 1944, ce sera mon anniversaire et nous n'avons toujours pas de nouvelles de mon grand frère. Il a débarqué un soir à la maison en tenant une femme sur le point de s'évanouir. Maman lui a dit de l'emmener dans le grenier pour la nuit car papa ne serait pas content de voir ça.

Il est venu chercher des affaires et de quoi la faire manger un peu, et il a passé la nuit là-haut. Je le sais, parce qu'on dort tous les trois dans la même chambre, et son lit était vide, quand je me suis réveillée en pleine nuit.

Le lendemain, ils sont repartis. Gustave avait pris quelques affaires dans une besace. Et l'argent dans la cachette. Mes parents étaient fous de rage.

La photo de nous trois, posée sur le buffet, n'était plus là non plus.

C'était en mars.

Germaine n'a que cinq ans, elle ne comprend pas bien ce qui se passe, mais moi, j'en ai dix demain, et mes parents semblent ne pas se rendre compte que je les entends. De leur conversation, je déduis qu'il a recueilli cette femme devant la Kommandatur, parce qu'elle avait été torturée par les Allemands, et qu'il l'a ramenée chez elle avant de la faire passer dans les Vosges.

Papa dit qu'il ne reviendra pas, mais moi je suis sûre que si. Il nous aime, il ne peut pas laisser ses deux petites sœurs comme ça, sans nouvelles.

Germaine le réclame souvent. Elle aime quand ils jouent ensemble à empiler des cubes en bois, ou quand il la promène dans la poussette sur le chemin plat, dans la forêt derrière chez nous.

Peut-être qu'il me fera le cadeau de revenir demain, pour mon anniversaire.

28

Rentre et ne reviens jamais

C'est le grand jour. Gaël déménage. Nous avons prévu d'aller chercher la camionnette de location en fin de matinée.

Nous avons passé deux semaines à finir les cartons chez lui, après l'école. Anna-Nina était des nôtres, et elle s'est occupée d'emballer la vaisselle dans du papier journal. Éric est venu nous rejoindre plusieurs fois, avec sa nouvelle Fuego, pour aider à démonter les gros meubles. Nous avons emporté des cartons au fur et à mesure dans la grange pour les stocker, le temps que mon ami retrouve un endroit à lui. L'après-midi de ce samedi nous suffira donc pour déplacer ce qui reste.

Il est vraiment très tôt mais j'ai eu besoin de me lever. Tout le monde dort encore. Seul Gustave doit être debout, à lire le journal que le livreur vient de déposer. Je frappe au carreau pour lui signifier que je pars en balade avec Croquette et vérifier qu'il jette un œil à la maison. Anna-Nina va encore dormir au moins une heure. Peut-être deux.

Durant les deux semaines qui viennent de s'écouler, je

me suis interdit de retourner sur le lieu de la première rencontre avec l'homme de la forêt. Son passage aux abords de notre jardin, son regard qui avait instantanément rallumé la flamme du désir m'ont plongée dans un malaise que j'ai dû vivre seule. À qui aurais-je pu raconter qu'en glissant sur une racine, je m'étais retrouvée dans les bras d'un homme au milieu de la forêt et qu'il avait suffi qu'on se regarde pour que j'aie envie de lui, malgré un physique sans attrait particulier, une odeur forte, et tous ces freins qui m'empêchent d'envisager l'immédiateté du désir dans une rencontre inopinée ? Même si je peux tout lui dire, Gaël n'a pas besoin de ça en ce moment. Et puis je n'oserais pas.

Je n'ai pas revu l'homme, je n'ai pas non plus entendu cogner la hache ou tronçonner. J'ai donc imaginé qu'il était parti sur un autre chantier et que je pourrais laisser mon désir se consacrer pleinement à Éric, qui prend soin de moi.

Je marche sur le chemin forestier en me disant que cette scène était ridicule. Que j'ai envie d'installer une stabilité avec Éric et sa fille, et qu'il serait malvenu qu'un autre homme vienne perturber ces projets savoureux pour lesquels je me réjouis depuis juin.

Un bruit soudain de tronçonneuse me glace le sang. On l'entend au bout du chemin. Dans un autre endroit, mais non loin de la première fois. Peut-être est-ce un autre bûcheron. Ou peut-être pas.

Je décide de ne pas y aller et je retourne sur mes pas. Tant pis si la promenade est écourtée. Je ne veux pas céder à mes propres vertiges. Je suis capable de maîtrise.

Je ne veux plus du malaise, de l'ambivalence, de la culpabilité de penser à un autre homme. Je marche d'un pas décidé, fière de moi, de la victoire de ma raison sur mon corps, de ma réflexion sur mon instinct.

Je n'ai fait que vingt mètres quand j'entends à nouveau le moteur. Et je ne peux pas m'empêcher de l'imaginer. Sa chemise rouge en polaire ouverte sur un T-shirt usé, sa barbe de quelques jours, ses cheveux en bataille où quelques traces de sciure se sont laissé piéger, ses yeux verts, et puis ses mains. Ses grandes mains puissantes qui m'ont emprisonnée.

Je m'arrête un instant, je ferme les yeux et j'essaie de respirer calmement. En vain. Je me vois pivoter et prendre la direction du bout du chemin. Juste voir si c'est lui, et je rentre. J'essaie de m'en convaincre. Le bruit se rapproche. Je regarde discrètement, à la recherche d'une ombre rouge dans la forêt. Je sais qu'il ne faut pas, et je le fais pourtant. Je suis comme envoûtée par le souvenir d'un instant où rien ne s'est passé. Rien et tout à la fois. Une simple connexion qui depuis me hante.

Le bruit a cessé, la machine s'est arrêtée, je n'ai plus de repères pour le trouver. Mais je le vois enfin. Il est à vingt mètres de moi, en contrebas du chemin, courbé vers quelques branches épaisses, un casque isolant sur les oreilles. Il se redresse un instant, la tronçonneuse à l'arrêt au bout du bras. Je n'ai pas le temps de me dissimuler. Il m'aperçoit, et me regarde. Trois secondes, peut-être quatre. Peut-être dix. J'ignore ce qu'est le temps à ce moment précis. Il tire sur la corde du lanceur en me fixant toujours et le moteur ronronne à nouveau. Il me tourne alors le dos et enjambe un long tronc dont il taille chaque petite branche naissante. J'ai encore le choix de partir. *Rentre, Valentine. Rentre et ne reviens jamais. Oublie-le. Pense au malaise, à la culpabilité, pense à Éric, pense à toi.* Mes jambes décident pour moi, je ne réfléchis pas. J'avance, l'élastique m'attire là-bas, et le corps vibre, et le cœur cogne. Je ne sais rien de l'énergie qui m'aspire, je la subis. C'est à la fois délicieux et douloureux.

Je m'arrête à quelques mètres de lui. Ma chienne ne m'a pas suivie. Elle erre un peu plus loin. L'homme n'a pas dû m'entendre mais il sait que je suis là. Je le vois couper le moteur, poser sa tronçonneuse au sol, enlever son casque. Se baisser pour attraper sa bouteille d'eau et boire quelques gorgées. La refermer doucement en se tournant vers moi. Il me regarde comme la première fois et s'approche lentement sans me quitter des yeux. La brûlure est là, au fond de moi. Délicieuse et douloureuse. Je recule, au fur et à mesure qu'il avance. Mon dos rencontre un arbre et je ne peux plus fuir. Il se colle contre moi, son odeur m'envahit. Je m'enivre du bois coupé, de l'essence, de la forêt, de lui. Que va-t-il faire de moi ? Je respire à peine. Mes poumons sont bloqués par la peur, par l'envie, par la rage de mon corps qui crie. Je ne me reconnais pas, et pourtant je vis ça, là, maintenant, entre l'arbre et lui.

Il n'y a plus de temps, il n'y a plus d'espace. Le monde s'arrête autour de nous à un mètre de distance. Un cercle nous isole. Circonférence du désir. Les quelques pensées qui me ramènent par instants à la vraie vie ne font qu'augmenter l'intensité de cette rencontre incongrue et puissante. Il pose sa main sur le bas de mon ventre, à peine à l'entrejambe. Ma respiration se suspend. Il a pris une mèche de mes cheveux et y laisse descendre ses doigts en les suivant des yeux puis il capte à nouveau mon regard. Sa main passe sous mon pantalon souple. Il ne veut pas du tissu. Il veut le contact de sa peau sur la mienne. Sa main est froide, rugueuse, abîmée, mais elle est délicate. Il se pose là, et me tient en haleine. Je n'ose rien faire. Ni bouger, ni souffler, ni même baisser les paupières. Il semble aussi ému que moi, car sa main tremble sur mon sexe. Peut-être se pose-t-il les mêmes questions depuis deux semaines. Peut-être ressent-il le même malaise. Peut-être ne sait-il que faire de la situation. Nous restons immobiles. Sauf une main qui tremble, sauf mon souffle qui peine.

Il baisse alors les yeux, enlève sa main de mon ventre, joue encore un instant avec mes cheveux, avant de retourner à son chantier, d'enfiler son casque et de saisir sa tronçonneuse. Je le vois de dos inspirer profondément puis pousser un puissant soupir en laissant tomber ses épaules, et son désir probablement, avant de tirer sur le fil de sa machine.

Je repars rapidement, je cours sur le chemin. J'ai envie de pleurer, et j'ai envie de rire. Envie de me cacher, envie de disparaître, mais envie de chanter, de sortir l'énergie qui vient de me secouer, de me retourner, de m'envahir.

Quand j'arrive dans la cour, je ne réfléchis pas. J'entre dans la roulotte, le plus discrètement possible malgré mon émoi. Éric est encore là. J'enlève mes vêtements et je me glisse sous ses draps.

29

Une braise dans la roulotte

Je ne devais pas dormir profondément car je l'ai entendue entrer, puis se déshabiller.

Valentine est essoufflée et son corps chaud se colle aussitôt à moi. Je ne comprends pas cette soudaine envie, si tôt un samedi matin, ni pourquoi elle est dans cet état. Elle semble avoir couru, mais ne me laisse pas le temps de déchiffrer les raisons de son désir ; je le prends comme il vient. Elle m'embrasse, me caresse, dirige mes mains sur son corps qui vibre d'attente. Elle en demande, et en demande encore. Elle ne me sourit pas, je sens presque de la rage. Nous avons dû faire l'amour une dizaine de fois depuis notre rencontre, et c'est inédit pour moi de la sentir aussi tendue, dotée d'une telle énergie à se fondre dans mon corps.

Je me prends à son jeu et me montre puissant. Elle a réveillé en moi ce côté animal qu'elle dégage pour sa part comme jamais elle ne me l'avait dévoilé. C'est l'intensité et la force qui comptent ce matin, pas la durée ni la douceur. Je la sens tout au bord de son apogée. Quelques secondes après, elle étouffe un cri dans mon oreiller et les ongles de sa main s'enfoncent dans la chair de mon dos.

Puis elle se rhabille précipitamment avant de disparaître sans un mot. Comme une tornade venue me soulever, m'envoyer dans les airs, pour me laisser retomber juste après son passage.

Je reste un peu pantois au milieu de mes draps, qui ont fini en boule juste après la fureur.

A-t-elle fait un rêve particulièrement évocateur ? Ou bien est-ce pour me montrer de quoi elle est capable, maintenant que j'ai dit symboliquement au revoir à ma femme ?

Ai-je besoin de comprendre pour en profiter ? Je ne crois pas.

30

Le doux bazar d'aimer

Je me suis attardée sous la douche. J'avais besoin de me recentrer, de me retrouver, de laisser derrière moi mes égarements matinaux. La journée est chargée, importante pour Gaël, je dois être disponible. Je ne veux surtout pas penser à cette autre aventure qui s'est invitée contre mon gré.

Quand Éric est entré dans la cuisine, j'ai senti son regard interrogateur et amusé. J'ai souri simplement en espérant qu'il ne me poserait aucune question. J'avais l'impression que la scène de la forêt se jouait sur mon front, visible de tout le monde, comme un cinéma en plein air. Mais je suppose qu'il n'a rien remarqué. Il est monté réveiller sa fille. Nous avons déjeuné normalement, en parlant de Gaël avant d'aller le rejoindre chez lui.

L'ambiance est sereine et joyeuse, même si je sais qu'elle est un peu lourde pour mon ami. Il a préféré que Geneviève, qui s'était gentiment proposée, ne vienne pas. Ils ont passé une dernière soirée dans la semaine à trier leurs affaires communes et elle est repartie avec quelques cartons à elle. Il ne la reverra sans doute pas. Pour quoi faire ? Ils n'ont pas d'enfants, ça rend la séparation plus définitive, et c'est probablement mieux.

Gaël perd ses repères les uns après les autres : sa femme, sa maison, bientôt ses kilos. Il lui reste l'école, ses amis, ses parents. Je ne sais pas si ça lui suffira pour garder l'équilibre et ne pas tanguer.

Sa consultation chez Claude, mon ami médecin en qui j'ai une grande confiance, a abouti à un bilan complet qui n'a rien révélé d'anormal. Gaël est encore jeune, et il l'a encouragé dans sa décision en lui disant qu'il serait là pour l'accompagner. Il lui a interdit de se peser chaque jour et le recevra une fois par semaine pour faire le point sur l'avancée de son régime. En fait, ce n'en est pas vraiment un, mais plutôt une façon plus saine de se nourrir et la reprise d'une activité physique. Nous sommes tous prêts et commençons dès demain.

Gaël a également consulté la thérapeute. Il en est revenu bouleversé. Il ne m'a pas tout dit, mais j'ai compris dans les grandes lignes qu'il portait le lourd fardeau d'un enfant mort de faim durant la Première Guerre mondiale, côté maternel. Il s'est rendu compte à cette occasion que dans cette lignée, tous les hommes étaient en surpoids ou obèses. Ce petit garçon de quelques mois a imprimé à toute une descendance l'idée qu'il fallait beaucoup manger pour ne pas mourir. Gaël en a parlé avec sa mère, qui aujourd'hui encore fait trois entrées, trois desserts et un plat principal pour un régiment quand elle invite du monde. Elle lui a avoué que plus aucune femme n'avait allaité – car c'était le manque de lait de son arrière-grand-mère, en raison de la fatigue et des malheurs de la guerre, qui avait participé à la perte de ce petit. Gaël recevait un biberon dès qu'il pleurait et sa mère a passé son temps à le remplir de nourriture de peur qu'il manque et, sans le savoir, de peur qu'il meure. Il semble qu'elle ait elle aussi pris conscience de sa propre mécanique qu'elle croyait jusqu'alors parfaitement normale. On peut avancer une vie entière sans se poser de questions si aucune situation ne vient nous bousculer dans nos certitudes.

Il est ressorti de cette consultation en comprenant qu'inconsciemment il croit depuis toujours qu'il va mourir s'il ne mange pas, mais que c'est faux. Il sait donc désormais qu'à chaque pulsion alimentaire, il devra penser aux conclusions de l'entretien et utiliser les outils qu'on lui a donnés pour laisser passer la crise. Il me disait hier que les résultats étaient encourageants et qu'il ressentait moins la panique habituelle quand il avait faim et n'avait rien sous la main. C'est un bon début.

Anna-Nina a voulu monter dans la camionnette avec Gaël. Je fais donc le premier voyage avec Éric.

– Il s'est trouvé des chaussures de marche ?

– Oui. Et des baskets, ajoute Éric. Ce n'était pas chose facile, il a les pieds larges, mais la vendeuse a trouvé ce qu'il lui fallait. Elle était mignonne en plus.

– Il n'en est pas tombé amoureux ?

– Si, évidemment. Il est impressionnant, ton ami. Il tomberait amoureux d'une statue dans un jardin anglais du moment qu'elle a le regard doux.

– Je suis un peu pareille, tu sais ?

– Toi, tu tomberais amoureuse d'une statue d'Apollon, mais à condition qu'il ait de belles fesses !

– Les tiennes me suffisent !

Il sourit tout en regardant la route.

– Vous êtes trop sensibles, tous les deux ! reprend-il.

– Ce sont les autres qui ne le sont pas assez. Le monde irait mieux si tout le monde était aussi sensible que nous. On ne supporte pas de faire du mal, et on aime facilement. Tu imagines la paix qui régnerait sur la terre ?

– Le monde serait sacrément compliqué si tout le monde tombait amoureux de tout le monde comme vous. Tu imagines le bazar ?

– Oui, mais ce serait un doux bazar !

– Certes.

– Gaël m'a dit que tu lui avais acheté un vélo elliptique. C'est gentil.

– C'est ma contribution. Je suis son coach, ou bien ? Et puis, ce n'est pas forcément un cadeau pour lui, j'ai trouvé un vélo connecté en téléchargeant l'application sur mon smartphone, je saurai exactement quand il en fait, combien de temps et avec quelle intensité. Ils le livrent demain en fin d'après-midi. Il va prendre la moitié de la place dans le salon, mais comme ça, il n'aura pas d'autre endroit où se poser et il sera obligé d'en faire.

– Et il est d'accord ?

– Bien sûr ! Sinon, je ne l'aurais pas pris. Mais il a besoin de sentir une pression, pour ne pas lâcher.

– Ça a dû te coûter une fortune.

– Je n'ai pas de problèmes d'argent. Je te l'ai déjà expliqué. La mort d'Hélène nous a mis à l'abri de ce côté et pour un bon moment. D'autant plus que tu ne me fais rien payer pour le logement et la nourriture depuis que nous sommes revenus.

– Je ne vais pas te faire payer un loyer !

– Et pourquoi pas ?

– Parce que je ne paie pas ma maison et que nous avons un jardin qui nous fournit tout.

– Alors, je ferai les courses de temps en temps pour ce que vous ne produisez pas.

– Si tu veux. Cela dit, tu me paies en nature…

– Tu me rembourses instantanément.

S'ensuit un échange furtif de regards qui nous fait comprendre que, s'il n'y avait pas ce déménagement aujourd'hui, nous aurions bien pris le temps de recommencer ce que nous avons engagé ce matin.

Je le sens libéré depuis sa fusée de détresse et il m'a fait l'amour avec beaucoup plus d'intensité, peut-être parce qu'il n'a plus cette culpabilité. Contrairement à moi, qui me sens prisonnière de ce qu'un autre homme a été capable d'allumer.

Je ne sais toujours pas ce qu'Éric ressent pour moi. Suis-je moi-même au fait de mes propres sentiments ? Je sais simplement que c'est avec lui que je veux m'engager et construire une relation stable et durable, et nous nous donnons suffisamment de plaisir pour que ça tienne la route.

À condition que je ne m'engage pas sur un autre chemin. Un chemin de forêt. Un chemin miné, je le sens, je le sais. Alors, pourquoi y suis-je allée ? Parce que je suis affamée ? Mon corps a-t-il si faim d'amour à faire ?

– À quoi tu penses ? me demande Éric, qui m'observe du coin de l'œil chaque fois qu'une ligne droite l'y autorise.

– À rien. À Gaël, à ce qu'on pourra lui apporter.

– Tu étais troublante ce matin. Ou peut-être troublée ?

– J'avais très envie de toi.

– Je ne vais pas m'en plaindre...

Alors que nous sommes de retour dans la maison de Gaël pour le deuxième et dernier chargement, je le vois répondre à un appel et s'isoler dans le jardin. Il revient vers nous le sourire aux lèvres.

– Champagne ! C'était l'agent immobilier. Il a deux clients fortement intéressés, solvables l'un et l'autre. À moins d'une catastrophe climatique dans les jours prochains, la maison est vendue. Il m'a dit que ça serait très rapide, car ils sont pressés. Enfin, le temps des papiers administratifs ! Un poids en moins !

– Tout va s'alléger, tu verras, la tête, le corps, le cœur.

Il vient vers moi et pose sa grosse main chaude sur ma joue en me disant simplement merci. Je sais à quel point il est sincère quand il me regarde comme ça.

31

Empilée jusqu'au plafond

Le dernier carton posé dans le gîte et le véhicule de location rendu, Gaël a dîné avec nous, comme ce sera le cas dans les semaines à venir, peut-être même les mois, vu la détermination de Valentine à maîtriser son alimentation. Au programme, des légumes vapeur aux herbes aromatiques et du fromage de chèvre frais sur du pain complet. Pas de dessert. Nous allons tous perdre du poids à ce rythme-là.

Il était exténué en quittant la table et s'est demandé s'il arriverait encore ne serait-ce qu'à se brosser les dents avant de s'écrouler pour la nuit mais Valentine lui a rappelé qu'elle avait mis le sac avec les draps dans la chambre à coucher et qu'il lui restait à faire le lit.

– Je peux l'aider, moi ! s'est empressée d'affirmer Anna-Nina. En plus, je pourrais le raccompagner, comme ça, je lui montrerai le raccourci par le pré. Il ne doit pas le connaître. Ça lui fera gagner du temps.

Je les ai regardés partir en me disant qu'il était agréable de se sentir en confiance pour laisser une gamine de sept ans rentrer seule d'une maison deux rues plus loin. J'ai aussi réalisé à quel point elle avait grandi en quelques mois et avec quelle force elle aspirait à devenir indépendante. Quand je suis rentré dans la maison et que j'ai vu le gâteau que Valentine avait posé sur la table, j'ai compris que nous ferions certains repas en deux temps.

– On ne peut quand même pas lui infliger ça, m'a lancé Valentine juste avant de croquer dans sa part. Et on ne peut pas non plus se priver à ce point.

– Il faudra bien qu'il affronte la frustration, non ?

– Pas tout de suite. Quand il aura obtenu quelques résultats et qu'il verra que ses efforts paient. Je pense que ça lui donnera une autre motivation.

– Tu crois qu'il va y arriver ?

– Je ne sais pas.

– Tu le connais bien, pourtant.

– Oui, mais pas ce versant. Ne le dégoûte pas du sport, ça fait tellement longtemps qu'il n'en fait plus.

– Je vais commencer doucement. Demain matin, on va marcher, tranquillement, et je verrai avec lui le programme de la semaine. Cependant, il n'y a pas de secret, si nous voulons être efficaces, il faudra un minimum d'activité et un peu de souffrance dans le corps.

– Prévois quelques fruits secs durant les efforts s'il se sent mal.

– Une bouteille d'eau aussi ?

– Évidemm…, commence-t-elle avant de comprendre que je suis ironique.

– Tu fais quoi ce soir ?

– Rien de particulier.

– Tu voudras venir déballer des cartons dans ma roulotte, dès que ma fille dormira ?

– Si tu me promets que ça déménagera...

– Je t'empilerai jusqu'au plafond !

Elle se lève en riant pour apporter un morceau de gâteau à Gustave, qui aime prendre son dessert juste avant de se coucher, avec une tisane de tilleul et un petit verre de schnaps.

32

Le regard triste de l'enfant mystère

Anna-Nina parle durant tout le chemin vers le gîte de Gaël, qui n'est pas sûr d'entendre tout tant la fatigue l'a envahi. Il prend volontiers le petit sentier dans l'herbe qui coupe à travers champs et se dit que l'abrutissement physique est peut-être une bonne chose pour oublier le reste. Certes, il a beaucoup de chance d'avoir vendu facilement la maison, de pouvoir compter sur Valentine, sur Éric, et même sur Anna-Nina pour l'aider, ne serait-ce qu'à travers des petits riens, mais il n'aurait pas eu besoin de tout cela si sa vie avait été normale. Il a le sentiment de devoir affronter aujourd'hui des années entières de fausse route, un héritage familial qu'il n'a pas mérité, le revirement d'une femme qu'il n'a peut-être pas su aimer, et l'idée qu'un avenir tout tracé vient de s'écrouler. Cet emménagement prend la forme d'une remise à zéro, sans savoir s'il aura la force de recommencer à compter.

— T'as la clé ? l'interpelle la fillette.

— Ah oui, tiens, prends-la, je te laisse ouvrir.

— C'est joli chez toi. C'est petit, mais c'est joli. Pourquoi t'es pas venu vivre avec nous ? Il y a encore des chambres libres chez Valentine, et c'est ta meilleure copine !

– Tu sais, il faut quand même que chacun se sente chez lui. L'être humain a aussi besoin de solitude parfois.

Gaël affirme cela tout en se disant que c'est probablement ce dont il va le plus souffrir dans les prochaines semaines. Être seul. Le matin, le soir, la nuit. Seul face à lui-même, et face à l'avenir. Il sait que cette solitude représente à la fois la cause de sa souffrance et la solution à celle-ci. L'éprouver pour l'apprivoiser. La vivre pour voir qu'on n'en meurt pas. C'est une peur si présente chez l'homme, si présente chez lui. Et une nouvelle fois, c'est Anna-Nina qui le ramène à la réalité :

– Bon, on le fait ce lit ?

– Oui, oui. Mais rentre chez toi, je peux me débrouiller, tu sais.

– C'est plus facile à deux, et je suis venue pour ça ! Mais je te brosse pas les dents, et je te raconte pas d'histoire pour t'endormir.

– Ah ? Ben zut, je suis déçu. Je pensais que c'était un pack complet.

– Pfff, répond-elle en haussant les épaules, avant de sortir les draps et de les lui tendre.

Quelques instants plus tard, elle grimpe sur le lit pour être à hauteur de son cou et serre Gaël dans ses bras comme elle le fait souvent avec son papa, en lui disant bonne nuit.

– Tu rentres tout de suite, hein ?

– Où je pourrais bien aller ?

Anna-Nina quitte la route à hauteur de la fontaine, non

sans avoir bu quelques gorgées de l'eau glacée qui sort de terre. Il y a trois fontaines dans le haut du village, elle les a toutes goûtées, et elle a failli tomber dans l'une d'elles en juin alors qu'elle marchait en équilibre sur le bord. Elle emprunte le passage d'herbe foulée, marche en regardant où elle met les pieds et chantonne l'air qu'ils viennent d'apprendre en classe. « Armstrong » de Nougaro. En relevant les yeux vers le bout du sentier, elle aperçoit un jeune garçon assis un peu plus haut sur le talus à dix mètres devant. Elle ne l'a jamais vu dans le village. Cependant, elle est loin de connaître tout le monde ici. Il l'observe de loin. Quand elle passe à sa hauteur, l'échange de regards dure quelques secondes. Il a les yeux bleu clair et son visage est impassible. Il joue avec un morceau de bois, qu'il taille en forme de pointe avec un Opinel. Anna-Nina poursuit son chemin sans dire un mot. Il a l'âge des CM2 de sa classe. Dix ans ? Peut-être onze. Elle se retourne une première fois, après quelques mètres. Il la suit du regard. Anna-Nina n'a pas peur. Elle est intriguée. Elle a ressenti de la tristesse en passant devant lui, comme s'il en dégageait à des mètres à la ronde. Avant de bifurquer vers la maison, elle se retourne une deuxième fois. Il n'est plus là.

Armstrong la vie quelle histoire,
C'est pas très marrant.
Qu'on l'écrive blanc sur noir
Ou bien noir sur blanc...

33

Les pages région

Anna-Nina est rentrée hier soir en me demandant s'il y avait un garçon de CM2 dans le haut du village. Je n'ai pas su répondre. Je connais tout le monde ici, et les quelques enfants d'une dizaine d'années habitent plutôt tout en bas. Elle nous a parlé de lui, de cette rencontre mystérieuse. Son père et moi l'avons sentie soucieuse, jusqu'aux portes du sommeil.

– Il avait l'air triste, m'a-t-elle dit quand je suis allée l'embrasser pour lui souhaiter bonne nuit.

– Il pleurait ?

– Non. Mais il avait l'air triste.

– Tu n'as pas eu peur ?

– Non, pourquoi ? Il avait l'air triste, pas méchant. J'étais triste aussi, mais je ne savais pas quoi lui dire.

– Peut-être le reverras-tu, et tu pourras alors lui demander s'il va bien.

– Oui. Moi aussi j'aime bien tailler les branches avec mon Opinel. Je pourrai lui montrer ce que je fais.

– En attendant, fais de beaux rêves.

– Pourquoi il pourrait bien être triste ?

– N'y pense pas…

En redescendant à la cuisine, j'ai vu mon portable clignoter d'un message. Éric m'annonçait qu'il restait un dernier colis fragile dans la roulotte. J'ai posté la sentinelle Croquette à l'étage et l'ai rejoint. Je m'attendais à tout sauf à ça. Il était allongé sur son lit en train de lire le journal, dont il avait utilisé une partie pour emballer son corps. Il n'arrivait pas bien à bouger sans mettre en péril son entreprise et je l'ai vite déballé en déchirant le papier comme on ouvre un cadeau au pied du sapin. Nous avons fait l'amour entre deux fous rires. C'était doux de se sentir légers.

Pour la première fois je suis restée avec lui le restant de la nuit. Le contact de son corps endormi contre le mien me donnait l'impression de combler un grand vide. Celui que je remplis de toutes mes activités annexes pour oublier qu'il existe. J'ai finalement peu dormi. J'avais besoin de me sentir consciente de l'instant, et je me disais qu'en dormant, je n'en profiterais pas.

J'aime aussi son odeur.

Mon ami est arrivé avant Éric, alors que je parlais avec Gustave dans la cuisine. Ce dernier venait de me cueillir quelques herbes et il était allé chercher un fromage de chèvre à la ferme, un peu plus loin. Gaël s'est présenté le visage chiffonné et le ventre qui glougloutait. Passé les salutations d'usage, il a enchaîné rapidement :

– J'ai faim. Tu m'as prévu quoi ce matin ?

– Du fromage et du pain, et la recette secrète de Gustave pour que le tout soit hautement savoureux.

– Je crains le pire.

– Non, non, c'est le meilleur, conteste Gustave. De la ciboulette, du persil, du basilic, un peu de poivre, de l'ail des ours et des fleurs de capucine.

– Vous voulez vraiment me faire manger des fleurs ?

– C'est juste pour mettre de la couleur, pour que ça ressemble à de la confiture !

– Mon cerveau n'est pas niais à ce point. Il verra bien que ça n'en est pas.

– Tu vas vite t'habituer, lui dis-je en déposant un bol de café devant lui.

– Je peux y mettre un sucre, ou c'est contre-indiqué ?

– C'est fortement déconseillé.

– Un demi ?

– Le mieux est d'éviter totalement. Ton corps va être en manque, mais tu t'en passeras plus rapidement que si nous baissons progressivement les doses.

– J'ai l'impression d'être en cure de désintoxication.

– C'est un peu le cas. Le sucre est une drogue pour le cerveau.

Éric entre, déjà prêt pour la balade. Il salue tout le monde et vient poser un baiser dans mon cou. Tout le monde est au courant, inutile de nous cacher encore.

Gustave demande alors si quelqu'un a vu le journal de la veille, car il n'a pas lu les pages Région.

– Je crois qu'il n'y avait rien de très intéressant dedans, lui répond Éric pour me faire rougir.

34

Le manque est terrible et la lutte acharnée

Gaël et moi sortons dans la cour d'un commun accord, laissant les autres finir tranquillement le petit déjeuner. Anna-Nina, qui venait de se lever, voulait nous accompagner à vélo, mais j'ai préféré que nous soyons seuls.

– Alors ? D'attaque ? dis-je pour l'encourager.

– Non.

– Ça va aller. On va faire le tour vers la Perheux et on revient. Nous marchons au rythme que tu penses pouvoir soutenir. Sans pression, sans souffrance. Zen mais efficace.

– Tu nous chronomètres ? demande-t-il en me voyant sortir un appareil.

– Je te chronométrerai souvent. Pas pour chercher une performance, mais pour voir l'évolution. C'est comme les kilos sur la balance, voir diminuer les minutes pour le même tour te donnera une idée positive de ta progression.

– Et si je ne mets pas moins de temps ?

– Ça n'arrivera pas.

– OK. On marche en silence ou on peut parler ?

– Idéalement, tu devrais pouvoir parler. Ça veut dire

que l'effort est juste au bon niveau. De là à savoir si tu auras des choses à me raconter…

– Parce que toi, je suppose que tu ne parles pas beaucoup ?

– Non, j'avoue. Anna-Nina parle pour deux, c'est bien pratique. Mais je peux faire un effort. Je comblerai si tu ne supportes pas le silence et que le souffle te manque.

Gaël a enfilé ses chaussures de marche et un bermuda souple, ainsi qu'un large sweat-shirt. Je le laisse prendre le rythme pendant quelques dizaines de mètres, avant de lui suggérer de ralentir légèrement, car le chemin devient raide, il n'est qu'en phase d'échauffement et nous sortons de table. Il garde le même rythme sur une petite distance, mais ses poumons finissent par accepter de ralentir avant son cerveau, qui manifeste une fierté mal placée. Il ne parle pas durant la côte d'environ cent mètres qui rejoint le chemin plus haut et manque de s'arrêter deux fois, mais je lui dis de poursuivre, de ralentir mais de poursuivre. Il parcourt encore une bonne centaine de mètres sur le plat avant d'avoir retrouvé son souffle.

– J'ai l'impression d'être handicapé.

– C'est une forme de handicap. Mais celui-ci est réversible. C'est comme quand on arrête de fumer. On retrouve du souffle, des odeurs. C'est dur sur le moment, mais les effets positifs se font vite sentir.

– T'as déjà arrêté de fumer ?

– Oui, il y a dix ans, quand on a commencé à parler bébé avec Hélène.

– Sauf qu'en arrêtant de fumer, tu arrêtes juste de fumer, ça ne change pas le corps.

– Que tu crois ! C'est différent de perdre du poids, mais le manque est terrible et la lutte acharnée.

– Ça va me prendre des mois de perdre tous ces kilos.

– Oui. Mais ça fait combien d'années que tu es en surpoids ?

– Tu peux dire gros. Je n'ai pas peur des mots. Et c'est depuis toujours.

Gaël a d'abord été le bébé joufflu dont on pince les bourrelets entre le pouce et le l'index en faisant « gouzi-gouzi-comme-il-a-de-bonnes-joues », et puis le gamin bien en chair dont on a un peu pitié dans la cour de l'école parce qu'il devient rouge avant tout le monde, le bon copain à l'adolescence, gros mais sympa, sympa mais gros, l'adulte obèse sur qui les gens continuent de se retourner, plus discrètement, et encore, pas toujours. Alors des quolibets, voire des insultes, il en a essuyé autant qu'un phare affronte les grandes marées. Il est toujours là, debout, prêt à affronter le regard des autres, mais le jugement agit comme l'eau salée des tempêtes, ça gifle, ça grignote la surface sans vergogne, et il ne faut pourtant pas sombrer.

– Alors, tu n'es plus à quelques mois près.

– Je suis pressé d'en finir.

– Ne pense pas trop au résultat final, pense à ce que tu fais pour l'obtenir. « Ici et maintenant », comme dirait Valentine. Ha ! ha !

– Valentine, c'est l'hôpital qui se fout de la charité. Elle est la première à attendre des choses et à ne pas profiter de ce qu'elle a.

– Oui, mais elle a la théorie maintenant. C'est le premier pas vers la pratique.

– Et vous deux, en pratique ?

– On a dépassé le stade de la théorie.

– Elle est bizarre votre relation.

– Elle est ce qu'elle est. On n'attend pas de résultat, on ne fait pas de plans sur la comète.

– De toute façon, pour ce que ça donne, les couples stables qui disent s'aimer, hein ?

– Ta femme te manque ?

– Évidemment elle me manque. On s'entendait bien. On a vécu beaucoup de choses ensemble, on a fait des projets, on était sur la même longueur d'onde, on se comprenait, on avait les mêmes avis sur les mêmes révoltes. Elle était très discrète mais elle avait toute sa place dans ma vie. Elle était mon eau chaude et son départ totalement imprévu est une douche froide.

– C'est ce que j'ai prévu pour toi, après le sport.

– Une douche froide ? Tu rigoles ?

– Oui.

– Et toi, ta femme ?

– Elle me manque, mais j'ai compris qu'il fallait que je lui dise au revoir.

– Valentine m'a dit pour le Donon. Ça a dû être difficile.

– Mais nécessaire. Je ne sais pas comment Anna-Nina a réussi à être une petite fille aussi joyeuse avec la tristesse que j'ai trimbalée comme des casseroles bruyantes derrière notre roulotte pendant toutes ces années.

– Tu sais, les enfants sont assez extraordinaires pour sentir ce dont leurs parents ont besoin.

– Je m'en veux d'autant plus. Ce n'était pas à elle de me soigner.

– Qu'est-ce que t'en sais ?

Qu'est-ce que j'en sais...

Qu'est-ce que j'en sais...

– J'en sais que je suis son père et que c'est à moi de veiller sur elle. Que c'est moi qui suis censé la guider sur le bon chemin, lui apprendre la vie, l'éduquer.

– Parfois, ce sont les enfants qui font grandir leurs parents, et c'est très beau à voir. Tu fais de ton mieux pour elle, arrête de culpabiliser d'être triste parce que ta femme est morte.

– Elle est morte il y a plus de sept ans !

– Eh bien, certains sont un peu plus lents que d'autres, et alors ? Mieux vaut tard que jamais. On est bon, là, pour le chrono ?

– Certains sont un peu plus lents que d'autres, et alors ? Ne pense pas à la performance et profite de la nature.

Il prend ma proposition au pied de la lettre dans les secondes qui suivent en s'asseyant dans l'herbe. Il tire sur les graminées, en arrache les graines, les dissimule dans son dos et me dit « Poule ou coq ? ». Il est comme un gamin au milieu d'un plaisir d'enfance. C'est la première fois que je ressens pour lui cet attendrissement. Gaël est un peu comme Gustave. C'est le pays des hommes qui n'ont pas grandi, ici, et je crois que je les envie. Dire que ce sont peut-être eux qui me voient ainsi, à voyager depuis sept ans dans ma maison de poupée.

– T'as coupé le chrono ? demande-t-il, inquiet.

– Ben non, pourquoi ?

– Parce qu'on fait une pause !

– La pause fait partie du parcours. Un jour, tu n'auras plus besoin de pause pendant la boucle et ce sera un progrès.

– J'avais plus envie que besoin.

– Un jour, tu n'auras plus besoin d'avoir envie. Tu la feras en courant et tu seras content de ta performance, meilleure que la veille. Et le lendemain, tu chercheras à battre celle du jour.

– T'es un winner, toi !

– J'ai été champion régional de décathlon quand j'étais au lycée. Enfin, une compétition qui y ressemblait et qui alliait différentes disciplines.

– Elle le sait, ça, Valentine ? demande-t-il, certainement inquiet d'imaginer les conséquences de mes antécédents sportifs sur son programme d'entraînement.

– Non, je ne crois pas lui avoir dit.

– C'est pour ça que tu as accepté de me coacher ?

– Oui. Parce que j'ai envie de te faire ressentir le plaisir de la performance que j'avais. Mais attention, c'est addictif.

– Si seulement je pouvais un jour être accro au sport.

Nous poursuivons notre tour en parlant de la façon dont je m'entraînais, des épreuves, des qualités nécessaires, de mes résultats. Il est presque essoufflé rien qu'à l'idée d'imaginer la somme d'heures de sport que je devais enchaîner pour être performant dans toutes les disciplines, lui qui n'a jamais pratiqué aucun sport, trop gêné par son poids, et par les moqueries qui allaient forcément de pair. Et lorsqu'il les évoque, je sens encore chez lui l'émotion d'en parler. Je ne me suis jamais moqué de mes camarades trop gros, trop maigres, trop petits, trop roux, qui étaient la risée du groupe, mes parents m'avaient appris un minimum de respect, mais je n'ai jamais pris non plus leur défense. Je suivais le mouvement. Même sans rien dire, j'étais complice. Quel con !

C'est peut-être ce que je voulais épargner à Anna-Nina en lui évitant l'école. Ce mal qui ronge les enfants puis les adultes dès qu'ils vivent en groupe. Le jugement, l'intransigeance, la peur de la différence. Gaël s'est probablement senti jugé et rejeté depuis toujours. Sensible comme il est, il a dû en souffrir terriblement et passe donc sa vie à vouloir se sentir aimé. Donc il tombe amoureux comme un oiseau tombe du nid. C'est quitte ou double. Soit il se sent planer, soit il s'écrase au sol.

Je commence à me sentir fin psychologue à réfléchir comme ça. Sûrement Valentine qui déteint sur moi.

Alors que nous apercevons le col de la Perheux, nous nous arrêtons au pied d'un sapin pour pisser notre café du matin. L'arbre nous sépare et nous ne voyons chacun que le jet de l'autre surgir de derrière le tronc. Gaël se met alors à monter le sien pour aller plus loin. J'essaie de rivaliser mais j'en suis incapable. Il a vu que j'essayais et ne manque pas de proclamer :

– Ah ! On ne peut pas être bon partout, hein ? Moi, au lycée, j'étais le meilleur au pissathlon.

Je soupire en rigolant. Les hommes sont parfois basiques !

Après avoir franchi la croisée des chemins au niveau du col, la descente vers le village est consacrée à l'établissement de son programme d'activités à venir. Je lui propose, pour les jours d'école, un quart d'heure de vélo elliptique au lever, avant sa douche et son petit déjeuner, puisqu'il viendra le prendre avec nous. Le soir, marche avec moi, le même tour, puis un quart d'heure de natation pour délier les muscles. Il reviendra ensuite pour le dîner.

– Je vais mourir !

– Mais non ! Tout ça, c'est à ton rythme. La première semaine, tu fais tout doux, tu ne forces pas, et on fait le point dimanche prochain pour voir comment tu te sens.

– Et si j'ai faim ?

– Tu prends quelques fruits secs chez toi, au cas où. Et tu m'en parles si ça arrive.

– Tu as briefé Valentine pour qu'elle me fasse des plats consistants ?

– Elle va te faire des plats qui consistent... à te faire perdre du poids. Si tu as faim, tu manges, mais pas n'importe quoi, OK ?

– Alors il vaut mieux que je n'aie rien de tentant chez moi.

– Ça va être dur, mais tu n'as pas le choix si tu veux obtenir des résultats. On n'a rien sans rien.

– Et une de perdue, dix de retrouvées... J'en ai plein en stock, des dictons à la con, tu sais ?

– Oui, mais quand une de perdue, une seule autre suffit. Retrouve-toi d'abord, quand même.

– On dirait du Valentine. Elle déteint sur toi, tu devrais te méfier, me dit Gaël, l'air un peu sérieux.

Voilà, voilà.

À la hauteur des premières maisons, il décide de rentrer directement chez lui. Il a tous ses cartons à déballer, et les cours de la semaine à peaufiner.

Pour ma part, j'ai prévu une balade avec Anna-Nina. Quelques heures de solitude à deux pour retrouver un peu ce qui me manque depuis que nous sommes revenus : ma fille pour moi, juste pour moi.

35

Maître Gustave

Une semaine a passé, et si le mercredi a été consacré à la préparation du matériel et à quelques assemblages dans l'atelier, ce samedi lumineux est l'occasion pour Gustave et Anna-Nina d'aller poser les premières planches de leur cabane rêvée. Ils ont chargé à bloc la charrette de bois, de cordages, de clous et d'outils, en fixant le tout avec des tendeurs.

Pas question pour Anna-Nina d'y grimper cette fois-ci. Au contraire, elle sera d'un grand secours dans la pente, pour aider Gustave à pousser le chargement. La descente dans l'herbe haute est plus périlleuse et les deux conducteurs doivent faire preuve de beaucoup d'agilité pour que le contenu ne verse pas à chaque bosse rencontrée.

Quand enfin ils arrivent au pied de l'arbre, ils s'assoient un instant et mangent la pomme que Gustave a préparée pour leur goûter. Un petit pommier de rien du tout caché au fond de son verger, auquel un tronc tordu donne une forme bizarre, offre chaque année son lot de pommes délicieusement sucrées, au moins sept cageots, qu'il se garde bien de presser en jus car leur conservation durant l'hiver est exceptionnelle. Il peut les voir se friper au fil des semaines, comme le visage d'une vieille femme, sans jamais pourrir. À la toute fin de l'hiver, ces pommes-là sont moins juteuses mais comme elles sont sucrées ! Il en a cueilli deux en partant et les a enfouies dans sa besace en cuir, avec une gourde remplie d'eau de source.

– Elle est vieille ta sacoche.

– Elle a connu la guerre. Et elle a résisté comme moi, jusqu'à maintenant. On faisait du solide, à l'époque, du qui dure, qui se transmet. Quand je ne serai plus là, je suis sûre qu'elle servira encore. Elle sera pour toi !

– Elles sont bonnes tes pommes. Avec papa, on en a goûté de toutes sortes sur les bords de la route, mais des comme ça, on n'en a jamais trouvé.

– C'est aussi un arbre qui a connu la guerre. Il est tout vieux et tout tordu, mais il fait encore de belles pommes.

– Comme toi, t'es tout vieux et tout tordu, mais tu fais encore plein de belles choses.

Gustave lui sourit en coupant un autre quartier de sa pomme avec son couteau à la lame usée, en se gardant bien de lui dire que celui-ci a aussi fait la guerre. Il va finir par l'embêter s'il ne lui parle que de ça.

Ils déchargent le matériel en le rangeant par tailles de planches, par types de clous et de vis, sur le grand tissu épais que le vieil homme a pris soin d'emporter.

Il sort ses plans et propose d'assembler au sol les différents éléments du premier étage, avant d'installer une poulie pour les monter et les fixer autour de l'arbre, sur les branches du bas qui le permettent. Il laisse Anna-Nina planter les clous pour fixer les planches sur les tasseaux.

Elle frappe avec force et précision. Elle a dû en faire, des bricolages, dans les forêts traversées par la roulotte. Peu d'enfants ont cette habileté à manipuler ce genre d'outils.

– On arrivera à monter le plancher ce matin ?

– Je ne pense pas, il faut du temps devant nous, et Valentine nous attend pour le repas de midi. On va finir tranquillement, fixer la poulie, et on reviendra cet après-midi, si tu veux. Je ramènerai une échelle pour grimper à ta hauteur et t'aider.

– Bien sûr que je veux.

– Tu n'as pas de devoirs ?

– Gaël ne nous en donne pas. Enfin, si, il nous en donne pour les parents qui en veulent, mais il dit qu'on n'est pas obligés de les faire.

– Et ton papa, il ne veut pas que tu les fasses ?

– Tu l'as bien regardé, mon papa ?

– C'est vrai. Ton papa n'est pas du genre à t'enfermer dans la maison avec des devoirs à faire. Il sait que tu apprends mieux en allant jouer dehors. Et c'était quoi ?

– Des additions. Trop facile. Et on doit apprendre une fable de La Fontaine.

– Ah ! J'en connais certaines, si c'est l'une d'entre elles, je peux t'aider à l'apprendre.

– « Le corbeau et le renard ».

– Je la connais par cœur ! Ce soir tu la sais ! Et sinon, ça se passe bien à l'école ?

– Oui, très bien. Des fois, je m'ennuie un peu mais Gaël me donne des exercices à faire, ou alors il me laisse suivre avec les grands, ou aider ceux qui ont du mal.

– Et dans la cour, les garçons ne t'embêtent pas trop ?

– Oh non ! Il y en a un, le jour de la rentrée, qui m'a tiré les cheveux, mais je lui ai fait la prise que papa m'a montrée et je l'ai mis par terre. Depuis, je suis tranquille.

– Une prise ? Tu me montres ?

– Si tu veux.

Anna-Nina se poste en face de Gustave, lui saisit le poignet et glisse sous son bras doucement pour le faire basculer sur le côté, ce qui oblige le vieil homme à suivre le mouvement, s'il ne veut pas se déboîter l'épaule. La petite ne s'arrête pas et continue son mouvement jusqu'à ce qu'il plie le genou et se retrouve à terre. Il tape alors le sol en riant, mais en grimaçant.

– C'est bon, poulette, c'est bon, t'as gagné. Je me rends.

– Et encore, j'ai fait doucement pour ne pas te faire mal, parce que t'es plus tout jeune. Ça marche bien, hein ?

– T'es tranquille pour toute ta scolarité avec ça, conclut-il en se frottant l'épaule.

Il propose ensuite à Anna-Nina de grimper dans les branches hautes pour y installer une poulie. Pour cela, il passe une ceinture autour de sa taille et y accroche la pièce en question, ainsi que le bout de la longue corde. Elle grimpe rapidement, sans peur, agile comme un écureuil. Gustave la guide pour qu'elle zigzague en montant afin qu'en cas de chute, la corde qu'il a saisie à l'autre bout la retienne à l'une des branches. À mi-hauteur, elle s'assoit à califourchon sur l'une d'elles et y noue le cordage qui tient la poulie, puis elle y passe l'extrémité de la grosse corde avant de s'y accrocher à nouveau par la ceinture pour redescendre de façon sécurisée.

– Maîtresse Anna-Nina, sur un arbre perchée, tenait en

sa main un cordage ! Maître Gustave, par l'odeur – du déjeuner de Valentine – alléché, lui tint à peu près ce langage : on rentre manger ! déclame Gustave.

– On pourra pique-niquer dans la cabane quand elle sera un peu commencée ?

– Oui, si tu veux, mais il faudra prévoir à l'avance.

– On garde toujours le secret ?

– Bien sûr. Mais tu sais, on n'est pas très discrets, avec notre carriole, nos outils et nos planches, ils vont finir par se douter de ce qu'on fabrique.

– Oui, mais ils ne savent pas où !

– C'est vrai ! Allez, descends, j'ai faim, et toi aussi sûrement ! Et on a une fable à apprendre.

– Tu faisais comment, toi, pour apprendre ?

– Je me répétais chaque phrase et quand je la connaissais par cœur, j'ajoutais la suivante. Je répétais les deux jusqu'à les connaître et ainsi de suite.

Alors qu'elle est à deux mètres du sol, elle lui demande s'il tient bien la corde et, sans même attendre une réponse ferme, elle se lâche dans le vide et cherche quelques instants l'équilibre en prenant la position d'un oiseau qui plane. Gustave, connaissant ledit oiseau qui se cache au fond d'elle, n'a pas relâché la corde un seul instant et met peu de temps à la stabiliser.

Elle le regarde, bras en croix et jambes tendues, dans une immobilité parfaite et avec un sourire qui donne envie de redevenir léger. Ils rentrent ensuite avec la charrette vide de bois mais pleine d'une Anna-Nina concentrée.

Maître corbeau, sur un arbre perché...

36

Le premier kilo

Éric et moi sommes assis sur les marches du perron, une bière à la main. Croquette ronfle à côté de nous, le soleil a toujours eu cet effet sur elle. Nous attendons Gustave et Anna-Nina ainsi que Gaël, qui consultait Claude ce matin pour son premier bilan. Éric m'explique que le programme s'est bien passé de son côté. Mon ami était motivé, a suivi les exercices planifiés quasi à la lettre et gagné quelques minutes sur le parcours qu'ils ont instauré, et il n'a que très peu souffert au niveau des genoux et du dos. Il n'a paniqué que deux fois en ressentant la faim, quand ils sont partis marcher en fin d'après-midi, le ventre vide.

– La première fois, je lui ai donné une banane. Il l'a mangée rapidement et il s'est senti mieux instantanément. La deuxième fois, je ne lui ai rien donné. On s'est assis dans l'herbe, j'ai arrêté mon chrono et on a respiré.

– Et ?

– Il m'a parlé de ses peurs. Celle de se sentir trop faible pour se relever. Celle de ne pas y arriver. Celle de se sentir vide comme son estomac.

– Et ?

– Je l'ai écouté. On a continué à respirer. Je lui ai reparlé du cycle de Krebs et des différentes solutions qu'avait son foie pour retrouver de l'énergie : la sensation de faim, la plus simple, et l'autre, celle qui puise l'énergie dans les réserves. Et je lui ai expliqué que si on ne faisait rien, là, c'est ce qui allait arriver, et ça tombait bien parce que c'est justement ce qu'on cherchait à faire, taper dans les réserves. Je lui ai ensuite proposé de repartir en marchant doucement, pour vérifier qu'il tenait bien debout.

– Et il a tenu.

– Oui. Il dit que c'est difficile de ne rien avoir à manger à la maison, ça le met en insécurité, c'est douloureux mentalement, et même physiquement – une boule dans le ventre – mais sinon, il serait trop tenté de manger entre les repas.

Moi aussi, je ressens la faim. Une autre faim. Comme une drogue. Un besoin irrépressible. Une absence. Je pense à l'homme de la forêt, souvent, beaucoup trop souvent. Si Gaël arrive à gérer le manque, je devrais réussir aussi. Cela fait une semaine que je suis partie en balade avec ce fil invisible qui m'a attirée jusqu'à lui. Chaque jour, je me suis retenue d'y retourner. Je me suis surprise à guetter la route, le chemin derrière chez nous, en espérant le voir. Mais rien. C'est terrible d'attendre, ne serait-ce qu'un regard, sans savoir quand aura lieu la prochaine fois. Sans même savoir si elle existera. J'ai tendu l'oreille pour l'entendre travailler. Je n'ai perçu que des coups dans le bois, très loin, sans être sûre que ce soit lui. Je ne sais rien. Ni où il habite, ni comment il s'appelle, ni quel âge il a, ni sa situation familiale, ni même sa voix. Je ne connais que son regard. Ce regard qui m'a harponnée. Dans lequel je tomberais instantanément si nous venions à nous croiser à nouveau. Je me déteste de ressentir cela et de ne pas pouvoir m'en détacher. Je m'en veux de cette ambivalence. Car la relation qui s'installe avec Éric est douce et agréable. Il me fait rire, m'émeut, me touche, dans les deux sens du terme. Nous passons des moments très complices mais savons aussi nous séparer pour ne pas nous envahir. Et puis, il y a Anna-Nina, qui a pris une place telle que je n'imagine plus la voir repartir. Alors, pourquoi cette ambivalence ? Ce serait pourtant simple de faire une croix dessus, et de décider qu'il ne me fera plus aucun effet. Puisqu'il n'est question que de cela. De l'effet. Nous n'avons aucune conversation, aucun projet à construire, aucune affinité. Juste l'effet. Peut-on à ce point être prisonnier d'un « effet » ? C'est ridicule. Il faut que je me reprenne, que je me raisonne, et que je fasse comme si ces deux rencontres avec lui n'avaient jamais eu lieu.

– Je vais essayer de faire de la bière, me dit Éric en terminant son verre. On en avait fait avec mes potes quand on était au lycée. Elle était plutôt bonne.

– C'est une idée.

– Il faudrait aussi que je fasse quelque chose de ma vie. Anna-Nina n'a plus besoin de moi.

– Quand même un peu.

– Comme tous les enfants qui ont besoin de leurs parents. Ils travaillent pourtant.

– Tu penses à quelque chose ?

– Je ne sais pas. Mon métier de base, c'est l'informatique, mais je n'ai pas envie de repartir dans une grosse boîte comme à Paris.

– Mets-toi à ton compte et propose tes services aux particuliers. Comme ça, tu t'organises comme tu veux et tu fais le nombre d'heures qui t'arrange.

– Tu crois qu'il y a un potentiel dans le coin ?

– J'en suis sûre. De plus en plus de gens s'y mettent et ils sont un peu perdus. Ils ont parfois besoin d'un coach pour se lancer.

– Décidément, tu veux que je coache tout le monde, répond-il en souriant.

Nous voyons arriver la voiture de Gaël. Je termine ma bière et je rentre les verres pour ne pas le tenter. En ressortant, je m'approche de lui et je l'embrasse en lui frottant l'épaule.

– Un kilo, nous annonce-t-il, avant même de nous avoir laissé le temps de le questionner. Ma tension et mon cœur sont bons. Tout va bien.

– Parfait, répondons-nous en chœur.

– C'est peu, un kilo. Il en reste vingt-quatre, ajoute-t-il, dépité.

– Ce n'est ni trop ni trop peu. À ce rythme, dans une trentaine de semaines, l'objectif est atteint, précise Éric. Un peu moins de neuf mois. Même pas le temps d'une grossesse.

– Une dégrossesse pour moi.

– On va intensifier les efforts progressivement, mais là, c'est trop tôt, je ne veux pas te bousiller les genoux et le dos.

178

– D'ailleurs, en parlant de mon dos, Valentine, ton ami Claude m'a dit que tu pourrais me le masser car il m'a trouvé très tendu.

– Si c'est mon ami Claude qui l'a dit... Quand tu veux.

– Moi aussi, j'ai un peu mal au dos, essaie Éric.

Nous entendons les rires d'Anna-Nina avant de la voir apparaître au coin de la maison. Elle est assise dans la carriole, les mains fermement agrippées aux barres latérales, et récite à tue-tête des vers de La Fontaine. Une improbable scène de vie comme je les aime. Gustave se met à courir comme il peut et tente un dérapage en arrivant à notre hauteur, si serré que le véhicule manque se renverser, mais Anna-Nina rit de plus belle et en saute pour aller demander des nouvelles à Gaël, puisqu'elle sait, elle aussi, d'où il revient.

– Tu l'as perdu où ton kilo ? dit-elle.

– Le gros orteil gauche et un morceau de la cuisse droite !

– J'te crois pas !

– Si seulement je savais où je l'ai perdu, mais c'est fondu dans la masse, si je puis m'exprimer ainsi. Je suppose qu'on commencera à voir un début de résultat à l'œil nu dans vingt kilos.

– Moi, si je perds vingt kilos, je crois que ça se verra beaucoup, répond Anna-Nina très sérieusement.

– Tu FAIS vingt kilos, lui rétorque son père.

– Mais pourquoi t'es aussi gros, d'abord ?

– Anna-Nina ! la reprend Éric.

– Non, laisse, les enfants ne prennent pas de pincettes et c'est mieux ainsi. Je suis gros comme ça, ma puce, parce que j'ai toujours trop mangé et trop mal et que je n'ai pas assez bougé. Mais ce n'est pas de ma faute, c'est là-dedans que ça se passe, répond Gaël en tapant sa tempe avec son index. Ce n'est pas de la faiblesse, ou un manque de volonté, comme beaucoup de gens peuvent le penser en voyant des gens gros.

– Tu cumules les a priori sociaux, s'amuse Éric. Gros et instit. Non seulement tu n'as aucune volonté, mais en plus tu ne fous rien.

– Et je suis sensible comme une femme. Je te laisse imaginer le troisième a priori qui pèse sur moi.

– Mais alors, c'est quoi ? insiste Anna-Nina.

– Des situations qui font qu'on se sent triste, ou faible, ou en danger, sans qu'on comprenne toujours pourquoi, et qui nous font manger.

– Et maintenant, ça va mieux dans ta tête ?

– J'espère, oui. J'ai compris pourquoi. Le temps dira si ça suffit ! Mais j'aurai toujours besoin que tu me fasses rire.

– Et moi, demande Gustave, on a besoin de mes coups de pied au derrière ou pas ?

Le repas tourne beaucoup autour d'un corbeau et d'un renard. Anna-Nina en connaît la moitié, ce qui impressionne son maître, un peu moins son père, qui sait qu'elle apprend vite.

Puis chacun repart à ses occupations. Gustave et Anna-Nina vers la colline en tenant chacun une extrémité de l'échelle en bois, Gaël chez lui, des cartons à déballer et un peu de sport à faire, Éric dans sa roulotte d'où s'échappent rapidement les premiers accords de guitare, et moi dans mes préparations de la semaine prochaine, avant de pétrir la pâte à brioche, qui lèvera sur le buffet.

À force d'hésiter entre tous, Croquette n'a finalement suivi personne et elle s'allonge sous la table de la cuisine, après avoir débarrassé le carrelage des plus grosses miettes.

J'aimerais parfois être comme elle et ne penser à rien. Surtout en ce moment.

37

Au secours

Anna-Nina marche dans les pas de Gustave, à quelques barreaux d'échelle de lui. Elle affiche une belle fierté de réaliser ce grand projet et se réjouit de l'endroit, de l'arbre, des plans, du temps qu'elle pourra y passer ensuite. L'homme n'a rien dit depuis qu'ils sont repartis de la maison. Il digère le repas. Une chose à la fois. Mine de rien, tous ces efforts ne sont plus habituels pour lui, et il se sent plus fatigué qu'à l'accoutumée depuis quelque temps. Peut-être devrait-il un peu lever le pied. Mais c'est maintenant ou jamais. Il se sent vivant de fabriquer, de construire, de bricoler, de créer, et de partager avec cette gamine qui déborde d'énergie et d'émotion. D'ailleurs, elle choisit ce moment pour rompre le silence :

– Ça me fait de la peine pour Gaël.

– Quoi donc ?

– Qu'il ne soit pas heureux de se sentir gros.

– C'est sa tristesse qui l'aidera à trouver la force dont il aura besoin pour perdre ses kilos. Donc, elle lui sera bien utile.

– Oui, mais ça va prendre des mois.

– C'est la vie et il est encore jeune. Mais, dis-moi, ça lui sert à quoi que tu sois triste pour lui ?

– Je ne sais pas, répond Anna-Nina, hésitante, avant d'admettre que ça ne sert à rien.

– Et à toi, ça te sert à quoi d'être triste pour lui ? renchérit l'homme.

– À rien non plus.

– Alors, pourquoi tu le fais ?

– Parce que ça vient comme ça, je ne décide pas.

– Alors, tu vas décider à partir d'aujourd'hui de ne pas être triste pour le malheur des autres. Chacun a bien assez à s'occuper de lui pour ne pas endosser en plus les soucis des autres, tu ne crois pas ?

– C'est égoïste, non ?

– Pas du tout ! Être égoïste, c'est ne penser qu'à soi, et pas aux autres. Mais on peut penser aux autres et être là pour eux en restant positif et joyeux, même s'ils sont tristes. SURTOUT s'ils sont tristes. D'ailleurs, c'est ton métier dans notre grand plan d'action Gaël : le faire rire, non ?

– Oui. Et toi ? Tu fais ton métier ?

– De donneur de coups de pied au derrière ? Non, mais je m'échauffe pour être opérationnel au cas où il en aurait besoin. Je suis d'astreinte, comme on dit.

– Ça veut dire quoi être d'astreinte ?

– Ça veut dire qu'on ne fait pas mais qu'on se tient prêt.

– Alors moi, je suis d'astreinte dans la cour pour défendre mes copines avec ma prise si des garçons les embêtent ?

– En quelque sorte, répond Gustave en riant.

L'ouvrage avance doucement mais sûrement durant les deux heures qui suivent leur retour au tilleul. Les premières planches sont posées, fixées entre elles, arrimées à l'arbre à l'aide de cordes et de morceaux de chambre à air. Anna-Nina peut faire le tour du tronc en marchant sans se tenir. Elle regarde Gustave avec des mercis dans les yeux. Il y a encore beaucoup de travail pour finir ce premier palier, puis réaliser le deuxième et enfin le troisième, plus complexe, puisqu'il comportera un toit. Mais peu importe. C'est aussi dans sa réalisation que l'ouvrage prend toute sa valeur.

Alors qu'ils commencent à fixer un nouveau rang de planches, le vieil homme s'inquiète des nuages noirs qui apparaissent au loin au-dessus des Vosges. Il enjoint à la petite d'empiler rapidement le matériel et ramasse ses outils qu'il range à la hâte dans le gros sac en toile. En remontant sur le chemin, le ciel est gris sombre au-dessus du mont Saint-Jean.

– On ne va pas traîner, je crois qu'un gros orage arrive, et il arrive vite. Allez, grimpe dans la charrette, on file.

Gustave n'aime pas l'orage. Surtout au milieu des grands arbres, en montagne. Il oublie ses articulations et marche d'un pas rapide en dirigeant la carriole avec précision pour éviter les trous dans le chemin et les cailloux saillants. Anna-Nina ne dit rien, elle regarde le ciel avec inquiétude. Elle non plus n'aime pas l'orage. Ils étaient toujours très impressionnants à vivre, dans la roulotte, même blottie contre son père. Le seul orage qu'elle a aimé, c'est celui qui les a déposés ici.

En arrivant un peu au-dessus du village, alors que les premières gouttes, énormes, commencent à tomber, elle est la première à voir le garçon, sous les arbres, assis sur le banc en retrait de la route.

– Arrête-toi ! crie-t-elle à Gustave en désignant le banc du doigt.

– Qu'est-ce que tu fais là, gamin ? demande l'homme, surpris par la présence de ce garçon sous l'averse débutante. Faut pas rester, regarde là-haut, au-dessus du mont, la pluie qui nous attend ! Grimpe dans la charrette, tu viendras à l'abri chez nous.

Le garçon s'exécute sans un mot. Les éclairs ne frappent pas encore mais la pluie s'abat violemment, ne leur laissant aucune chance d'arriver secs à destination. Par chance, la porte de la grange est restée ouverte et Gustave s'y engouffre, avec le véhicule à deux roues et autant d'enfants à son bord. Valentine et Éric, à la fenêtre ouverte sur la cour, sont rassurés de les savoir rentrés, un peu étonnés de voir ce garçon sorti de nulle part.

– Tout va bien, leur crie Gustave à travers la pluie qui tombe fort. Je les garde ici, ils n'auront qu'à jouer au grenier en attendant que ça passe.

– Tu veux des vêtements de rechange pour eux ? répond Valentine en poussant sa voix.

– Je me débrouille ! Va fermer le Velux de ta chambre, ajoute-t-il avant de disparaître derrière la porte.

Valentine repousse les battants de la fenêtre et file fermer l'ouverture dans le toit. C'est déjà un peu tard, son couvre-lit est mouillé par endroits. Elle n'a pas vu qu'Éric l'avait suivie et sursaute en se retournant. Il tourne la clé dans la serrure et soulève son T-shirt, à la recherche de ses seins qu'il saisit sans hésitation, avant de la basculer sur le lit. Ils aiment aussi brûler les étapes quand la situation est incongrue, imprévisible, et urgente.

– Bon, les enfants, j'espère que vos slips sont indemnes, proclame Gustave, parce que de ce côté-là, je ne vais pas pouvoir vous aider. Viens avec moi, petit ! Au fait, comment tu t'appelles ?

– Sébastien.

– Tiens, prends ça, dit-il en lui tendant un marcel blanc. Je te laisse te changer dans ma chambre.

Puis il montre la salle de bains à la petite en lui donnant une de ses chemises à carreaux.

Il attend de les avoir installés à la table de la cuisine avec un chocolat chaud et des tartines pour se défaire de ses vêtements mouillés. Les deux enfants mangent en silence en se regardant discrètement. Le marcel qu'a enfilé le garçon lui descend à mi-cuisses et le col s'arrête juste au-dessus du nombril. Quant à Anna-Nina, la chemisette rouge et blanc lui fait office de robe.

– Vous êtes beaux comme ça, tous les deux, lance Gustave en s'asseyant en bout de table. Tu viens d'où, Sébastien ? On ne t'a jamais vu ici.

– On a déménagé il y a un peu plus d'un mois avec mon père, dans une maison du village.

– Ta mère n'est pas là ?

– Non, elle habite à Strasbourg. Ils ont divorcé. Je

passe la semaine chez elle, à cause de l'école, et le week-end ici.

– Il fait quoi ton père ?

– Des travaux forestiers.

– Tu veux l'appeler ? Il ne va pas s'inquiéter de ne pas te voir revenir avec l'orage ? Je crois qu'il y en a pour un moment, c'était bien gris sur toutes les Vosges.

– Je ne veux pas vous embêter.

– Mais tu ne m'embêtes pas ! Hein, Anna-Nina, qu'il ne nous embête pas ?! Allez donc au grenier, il y a une caisse avec des vieux jouets, tout de suite à droite au bout des marches. Mais appelle d'abord ton père, le téléphone est là-bas, regarde.

Le garçon s'exécute. L'appel dure dix secondes, juste le temps de dire qu'il est à l'abri, qu'il rentrera plus tard.

Puis les enfants finissent leur bol de chocolat et Anna-Nina monte la première l'escalier que lui a indiqué Gustave. On entend la pluie marteler le toit et les lucarnes ne laissent entrer que très peu de lumière. Elle allume le plafonnier en arrivant en haut et vérifie que Sébastien a bien suivi. Ils découvrent alors un espace fait d'étagères, de coffres et de nombreuses formes recouvertes d'un drap blanc. Des toiles d'araignées occupent quelques angles mais le lieu est assez propre.

– Tu n'as pas peur des araignées ? demande le garçon en se frottant le bras pour se débarrasser de la toile qu'il vient de rencontrer.

– Non, j'ai l'habitude, et toi ?

– Moi un peu. C'est ton arrière-grand-père ?

– Non.

– Et à la fenêtre, c'était tes parents ?

– Juste mon père.

– Il est divorcé ?

– Non, ma maman est morte quand je suis née.

– Et la dame qu'on a vue, c'est ta nouvelle maman ?

– Je crois, oui.

– Tu crois ?

– Je ne sais pas s'ils s'aiment, mon papa et elle. J'aimerais bien, mais je ne suis pas sûre. Et je ne sais pas s'ils doivent s'aimer pour qu'elle devienne ma nouvelle maman.

– Ben moi, ils ne s'aiment plus et c'est quand même mes parents.

– Oui, mais c'est tes vrais parents.

– Ça change rien, ils ne m'aiment pas quand même.

Sébastien a dit cela en se mettant à genoux pour ouvrir la caisse à jouets que leur a indiquée Gustave. Il se décale légèrement sur le plancher en bois gris pour laisser une place à la fillette. Celle-ci fouille entre les cubes de bois et les petites voitures, à la recherche d'autres trésors encore plus anciens.

– Pourquoi tu dis qu'ils ne t'aiment pas ?

– Parce que mon père passe son temps à son travail. Il ne s'occupe pas beaucoup de moi le week-end. Il n'était pas comme ça avant que maman parte. Il est triste, mais moi, j'y suis pour rien.

– Et ta mère ?

– Ma mère, elle vient d'avoir un bébé avec son nouveau copain. Il n'y a que ma petite sœur qui compte. Et mon beau-père passe son temps à dire que je suis nul.

– C'est triste.

– C'est comme ça.

– Et ton père, il a pas une copine ?

– Non. Enfin je crois pas. Un jour, je l'ai entendu dire au téléphone, à un ami à lui, que les femmes, c'était fini, qu'il n'avait pas envie de se faire jeter de nouveau.

– Tu pourras venir ici, si tu veux. Nous, on s'occupera de toi. T'as vu le vieux Meccano ? Il manque des pièces, mais je crois que j'en ai vu au fond de la caisse. Tu veux qu'on le répare ?

– Oui, mais on n'a pas les plans.

– On n'aura qu'à inventer. Et sinon, on demandera à Gustave.

Éric et Valentine se sont rhabillés aussi vite qu'ils se sont dénudés. L'après-midi, des enfants de l'autre côté de la cour, Gaël susceptible d'arriver à tout moment. Chaque seconde compte. Cela rend ce genre de moment volé d'autant plus excitant, et le plaisir rapide. Éric entrouvre légèrement la porte pour vérifier que personne ne se trouve dans le couloir. Il annonce à Valentine qu'il fait un saut aux chevaux, pour vérifier que l'orage ne les a pas trop effrayés. Pendant ce temps, Valentine pétrira la pâte à brioche une dernière fois.

Elle finit de mettre la pâte dans le moule, les doigts encore collants, quand Éric revient. La vérification a été rapide. Tout va bien, même s'il n'est pas très agréable de flâner dans les champs boueux. Le téléphone de Valentine annonce alors un message.

– Tu peux regarder ?

– Rien d'intime ?

– Je n'ai rien à te cacher. Ça doit être Gaël.

– En effet, annonce Éric en saisissant le téléphone. Il appelle au secours.

– Au secours ?

– C'est juste écrit « Au secours ». J'y vais.

– J'arrive, je me lave les mains et je te rejoins.

Éric ne connaît pas suffisamment Gaël pour savoir interpréter ce genre de message. Cela peut tout autant signifier un appel du cœur, parce qu'il n'a pas le moral, qu'une urgence médicale. Il court donc en direction du gîte en espérant que ce n'est pas la deuxième option. Peut-être a-t-il trop tiré sur la corde cette semaine. Peut-être est-il en train de faire un malaise cardiaque.

Quand il entre dans la cuisine, il découvre Gaël assis à la table, silencieux, une tablette de chocolat posée devant lui. Il ne lève même pas la tête à l'arrivée d'Éric. Celui-ci est évidemment soulagé de le voir bien portant et réfléchit rapidement à la façon de régler la situation. C'est un appel au secours d'envie, de manque, de ras-le-bol, de frustration. Il file dans la salle de bains, saisit le sèche-cheveux, retourne dans la cuisine, cette fois-ci en faisant une entrée fracassante, et hurle à Gaël en braquant sur lui l'appareil :

– Haut les mains ! Pas un geste !

L'homme en détresse lui lance un regard vide, sans montrer la moindre réaction à ses ordres.

– Haut les mains ! Deuxième sommation.

Gaël finit par lever mollement les bras et les yeux au ciel, vaguement agacé. Éric s'approche avec précaution, sans quitter Gaël des yeux, et tend la main vers la tablette de chocolat comme si le geste présentait un risque énorme. Il l'attrape du bout des doigts et la fait glisser vers lui en silence. Quand elle est suffisamment proche, il la saisit fermement et pose délicatement le sèche-cheveux sur la table de la cuisine.

– Respirez, vous êtes hors de danger, ajoute-t-il en quittant la pièce.

Quand Valentine arrive, elle trouve Éric sur le perron en train de croquer dans le chocolat, un sourire satisfait aux lèvres.

– Qu'est-ce que tu fais ?

– Je désamorce la bombe. Par contre, tu es attendue pour activer la cellule psychologique. Chacun ses compétences.

– Que s'est-il passé ?

– Une tentation trop forte, je suppose. Je remonte. Si jamais les enfants veulent sortir du grenier. Et puis, il faut que je vérifie qui est ce garçon qui tourne autour de ma fille.

38

Un ami moussaka

Je savais que ce serait difficile. On n'abolit pas si vite la peur, le manque, les réflexes acquis depuis le berceau qui ont installé gourmandise et plaisir des papilles dans une sorte de principe de survie. Mais si l'épisode de cette tablette de chocolat ne m'étonne pas, elle ne doit pas lui donner le sentiment d'une quelconque faiblesse. Nous sommes aussi là pour ces moment-là, quand la volonté pèse moins lourd que le vide. Ha ! ha ! Je ris jaune. J'aimerais bien que la volonté pèse plus lourd que le vide chez moi aussi. Je le comprends, je sais ce qu'il vit, ce corps qui n'obéit pas et qui le fait en sachant pertinemment qu'il ne faut pas, qu'on va le regretter. Il le fait en se fichant des conséquences.

— D'où te vient cette tablette ?

— Madame Marsan. Elle me l'a apportée ce matin. Je suppose que les gros attirent spontanément ce genre d'attention. Elle a juste voulu me faire plaisir, et je n'ai pas osé dire non. Je pensais être fort et résister.

— Ce que tu as fait.

— Non, puisque je vous ai appelés au secours. Si vous

n'étiez pas venus, je l'aurais mangée. Tu diras à Éric que la prochaine fois, il n'est pas obligé de faire toute cette comédie.

– Il a fait quoi ?

– Il nous a mis en joue, façon FBI, la tablette et moi, avec mon sèche-cheveux.

– Ffff ! Bon, ce qui compte, c'est que tu n'aies pas craqué !

– J'ai tellement envie de retrouver ces sensations. La douceur du sucre, le carré qui fond sur ma langue. Le goût du chocolat, le croquant des noisettes grillées. Je n'y arriverai pas.

– Si, tu y arriveras, parce que tu vas penser à ce corps dans lequel tu te sentiras mieux. Accroche-toi à ça, pas au plaisir immédiat de tes papilles. De toute façon, elles te le font payer ensuite, en te baignant de remords ! Vrai ou pas vrai ?

– Vrai. Mais c'est dur.

– Viens, je te fais un massage. Ton dos bienheureux fera la nique à tes papilles exigeantes.

J'ai tellement envie, moi aussi, de retrouver ces sensations. Les yeux perçants d'un bûcheron, l'odeur des bois, sa puissance, sa force, sa détermination, sa main qui tremble sur moi.

Je fouille dans la salle de bains à la recherche d'une huile de massage pendant qu'il est parti s'allonger sur son lit. Une brosse à dents, du dentifrice, un shampoing, de la mousse à raser, un gel pour les cheveux. Quoi d'autre ? Gaël est effectivement un homme comme les autres. Je finis par me rabattre sur l'huile d'olive de la cuisine. Tant pis pour l'odeur. Il sentira bon le soleil du Sud et la moussaka.

Il est échoué sur son lit, les bras le long du corps, les yeux fermés, livré à moi comme s'il me criait «Fais-moi du bien, je souffre». Je m'installe à califourchon sur lui. Nous sommes suffisamment intimes pour nous l'autoriser. Je fais couler un peu d'huile dans le creux de ma main, que je réchauffe en l'étalant avant de poser délicatement mes paumes sur sa peau. Puis je les promène sur son dos, sa nuque, ses épaules. J'appuie fort, puis j'effleure, je malaxe, j'insiste sur les zones où les muscles sont noués.

– C'est la première fois que tu me fais ça depuis toutes ces années que nous nous connaissons, ou bien?

– Je crois, oui.

– Quel gâchis de ne pas l'avoir fait plus tôt.

– ...

– Quoique, ajoute-t-il après quelques instants, je serais sûrement tombé instantanément amoureux de toi, si tu m'avais montré d'emblée l'étendue de tes compétences...

– Rassure-moi, ça ne veut pas dire que ça risque d'arriver, n'est-ce pas?

– Tu n'aurais pas voulu qu'on tombe amoureux, toi et moi?

– Non, parce que je tiens à toi.

– Et alors?

– Et alors, dans la vie, on a plus de risques de se perdre en s'aimant amants qu'en s'aimant amis.

– Ça veut dire que tu t'en fiches de perdre Éric?

– Pas du tout.

– Ben alors, pourquoi vous êtes amants et pas amis?

– Parce que mon désir féminin le réclame à cor et à cri !

– Cor, tu l'écris c-o-r-p-s, je suppose.

– Évidemment !

– Ça veut dire que tu n'as pas de désir pour moi...

– Ça veut dire que je n'y ai même jamais pensé.

– Parce que chez toi, il faut penser à avoir du désir pour en avoir ?

Si je n'avais pas besoin de garder ce secret pour moi, trop honteuse de le révéler à quiconque, je lui dirais comme le désir m'est tombé dessus sans que j'y pense. Mais je ne peux pas. Je poursuis :

– Ça veut dire que j'ai érigé une grande barrière autour du champ des possibles avec toi, et qu'elle est sacrée.

– Pourtant, l'herbe est meilleure de l'autre côté de la barrière, paraît-il.

– Parce que tu voudrais qu'on essaie ?

– De franchir ta sacrée barrière ? Je ne sais pas, répond Gaël de manière évasive, là où j'attendais un non catégorique. Qui sait, ça collerait peut-être entre nous ? se justifie-t-il.

J'arrête le massage pour laisser passer ma surprise.

– Alors essayons, dis-je, prête à relever le défi en pensant que c'est en bravant certains interdits qu'on prend conscience qu'ils ne sont pas là pour rien.

– T'es sérieuse ? demande Gaël en se tournant sur le dos pour me faire face, alors que je reste à califourchon sur lui.

Son large corps s'offre à moi, et c'est la première fois que je le vois ainsi. Nous nous regardons dans les yeux un long moment, avec beaucoup de tendresse et de douceur. Il y a de l'amour entre nous, indubitablement, depuis toutes ces années. Puis j'approche doucement mon visage du sien, sans le quitter des yeux. Nos lèvres sont à quelques millimètres, et je sens son souffle chaud. Il saisit mon visage entre ses deux mains puissantes et efface d'un geste tremblant ce qui restait d'espace entre nous. Je sens ses lèvres humides sur les miennes. Nos bouches se sont légèrement ouvertes, le temps s'est arrêté.

C'est quand nos langues se frôlent que nous poussons un même cri en nous séparant brutalement, d'un indéniable commun accord.

– T'as raison, me confirme-t-il. C'est un très mauvais plan. Qui a eu cette idée ?

– C'est toi !

– On peut continuer le massage ?

– Un peu, mais après, je dois aller préparer le dîner.

– Alors on recommencera ?

– Que le massage, hein ?

– À ton avis !!! Au moins, nous sommes fixés.

– Je t'aime quand même...

Je le quitte quelques instants plus tard, une odeur d'olive sur les mains, et le plaisir de le voir apaisé après l'épisode du chocolat. J'espère qu'Éric m'en aura laissé.

39

L'habitude des échecs

Alors que j'emprunte le raccourci pour rejoindre la maison de Valentine, j'aperçois le garçon au bout du chemin. Nous marchons chacun d'un pas rapide et arrivons vite à hauteur l'un de l'autre.

– Tu t'en vas ? demandé-je pour ne pas le laisser partir sans un mot.

– Je dois quand même rentrer chez moi.

– Tu habites loin ?

– Non, juste au-dessus de la mairie.

– Tu t'es bien amusé ?

– Oui.

– Alors, tu pourras peut-être revenir ?

– Oui.

Puis il s'en va, comme s'il s'enfuyait. Je n'ai même pas le temps de lui proposer un morceau de la tablette de chocolat que je tiens dans la main. Ce garçon est étrange. Il a effectivement un reflet triste dans les yeux. C'est jeune, dix ans, pour avoir déjà un reflet triste dans les yeux.

Je viens juste d'entrer dans la cour que déjà ma fille bondit hors de chez Gustave et me saute dans les bras.

– T'étais où ?

– Je suis allé désamorcer une bombe chez Gaël.

– Une bombe chez Gaël ? répète-t-elle, inquiète.

– Une bombe calorique, lui dis-je en brandissant le reste de tablette de chocolat.

– Ah. Tu m'as fait peur !

– Et toi ? C'était bien ? J'ai croisé ce garçon qui est rentré avec vous.

– Sébastien. Il a l'air un peu triste, hein ?

– Oui. Tu sais pourquoi ?

– Il m'a dit que ses parents ne l'aiment pas. Ils sont divorcés. Son père passe son temps à travailler, sa mère ne s'occupe que de sa petite sœur, et son beau-père lui dit tout le temps qu'il est nul.

– En effet. C'est triste.

– Mais j'ai réussi à le faire sourire !

– Bravo. Tu lui as proposé de revenir ?

– Évidemment ! Il va nous aider à fabriquer la ca…

– La ca… ?

– La ca…scade !

– Vous fabriquez une cascade ? Avec toutes ces planches, ces clous, ces poulies ?

– Bon, je dois aller me changer, je ne vais pas garder la chemise à carreaux de Gustave toute la journée.

– Ca…rapate-toi, va ! Au lieu de me répondre.

– C'était bien essayé, papa, mais tu sauras pas.

Puis elle disparaît dans la maison. Je ne veux rien savoir. Les secrets d'enfants sont importants. Et en parlant de secret, j'en profite pour aller explorer la cave dont m'a parlé Valentine et évaluer par moi-même si elle pourra nous accueillir pour faire de la musique. Je descends les quelques marches recouvertes de mousse pour accéder à une vieille porte en bois. Elle n'est pas verrouillée. Je soulève le loquet et je la pousse vers la pénombre. Elle me résiste d'abord, cela doit faire une éternité qu'elle n'a pas été franchie ; j'y mets un coup d'épaule afin qu'elle cède à ma pression. Je ne sais pas, du grincement des gonds ou des toiles d'araignées, ce qui donne le plus l'impression d'entrer dans une maison hantée. J'aperçois un vieil interrupteur. Une lumière s'allume au plafond, laissant apparaître une jolie cave voûtée, un peu plus grande que celle de la cuisine. Y sont stockés des bonbonnes de verre entourées d'osier, quelques pots de terre et des casseroles en cuivre de différentes tailles. Je décide d'attendre lundi et les horaires de classe pour commencer à débarrasser le lieu, afin que Gaël ne se rende compte de rien. Je repère l'installation électrique, obsolète, et je pense qu'il faudra que je la rénove pour ne pas prendre le risque de tout faire sauter. Je tiens vraiment à le remettre à la batterie. D'abord parce que ça lui fera du bien, ensuite parce que ça me motivera pour rejouer de la guitare électrique. Rien de tel que la musique pour adoucir les âmes trop grises.

Nous pourrions presque y fabriquer de la bière, mais je vais attendre qu'il ait perdu ses kilos pour ce genre d'entreprise. Nous réintroduirons des tentations quand il aura suffisamment progressé pour y résister facilement.

Valentine et Gaël arrivent au moment où je ressors de la cave. Je lui propose d'aller marcher un peu sur le chemin au-dessus du village, pendant que Valentine prépare le dîner. Mais il préfère prolonger les bienfaits du massage et propose à Anna-Nina une partie d'échecs sur la table de jardin. Je comprends mieux l'odeur d'huile d'olive.

J'aiderai donc Valentine, au moins en préparant la table. Elle n'aime pas être dérangée dans son organisation. Un de ses travers de célibataire. Je dois avoir les miens. Avant d'entrer dans la cuisine, j'entends Anna-Nina s'adresser à Gaël :

— Moi, je suis sûre qu'à la prochaine tablette de chocolat, tu résisteras à la bombe.

— Merci, ma puce. La prochaine fois, je dis à madame Marsan de te la donner à toi !

— J'espère qu'elle en achète des fois à la crêpe dentelle.

— Chuuut ! Tu me donnes envie. Va plutôt installer tes pions et concentre-toi. Je vais gagner, j'ai l'habitude des échecs en ce moment.

Après avoir mis le couvert, je m'installe sur le banc et je regarde Valentine s'affairer autour de ses casseroles, dans son tablier rayé. Je commence à l'imaginer nue en dessous, juste le nœud sur lequel tirer pour la défaire de ce simple morceau de tissu. Mais je chasse vite l'image, avant que le désir ne monte. Ce n'est pas le moment. Elle a changé depuis juin. Elle est plus calme, moins stressée, moins stressante, parfois même un peu distante, comme si elle était ailleurs. Je crois qu'elle attend moins de moi. Et ça me donne envie de lui donner plus. Ou alors est-ce moi qui la regarde avec plus de bienveillance parce que c'est elle qui m'a permis ce choix ?

– Pourquoi tu me regardes comme ça ? demande-t-elle soudain.

– Comme ça. Je pensais à nous.

– Ah. Et ?

– Et je me sens bien. Je suis allé voir la cave. C'est un bon endroit pour s'installer. Il faudrait que je nettoie, que j'installe l'électricité, un peu de chauffage et un extracteur d'humidité. Quand penses-tu que nous pourrons aller chercher sa batterie ?

– Je vais appeler ses parents. Fais déjà les travaux, nous pourrons y aller assez vite ensuite. Ça rentre dans une Fuego, une batterie ?

– Oui. J'aimerais bien aussi, de temps en temps, sentir l'huile d'olive…

40

Hypersensible

Après un mois d'octobre assez ensoleillé, l'automne s'est installé de façon discrète sur notre région. Quelques belles journées nous ont encore fait douter du changement de saison. Mais depuis une semaine, nous nous réveillons dans la brume et n'avons que très rarement la chance de surplomber la chape de nuages qui stagne jusqu'au soir. Le gris du temps nous oblige à une lutte permanente pour convoquer un peu de lumière au fond de nous. J'ai remis en route le poêle à bois et la cuisinière avec le plaisir de retrouver cette douce chaleur quand on rentre le soir, après une journée humide et maussade. Les enfants, à l'école, ont troqué leurs tenues d'été contre les pantalons et les vestes imperméables.

À la maison, nous avons tous trouvé un petit rythme à nous, individuel et collectif.

Gaël a déjà perdu six kilos. Il est toujours aussi pressé d'atteindre son objectif, mais Claude l'a encouragé à freiner un peu pour ne pas perdre trop vite, afin d'éviter au corps un changement trop brutal. Il se sent déjà mieux, d'abord d'être moins lourd, mais aussi d'avoir repris une activité physique. Éric et lui partent marcher tous les soirs au retour de l'école, et Gaël est fier de voir le chronomètre afficher un temps de plus en plus court pour le même tour. L'esprit de compétition a parfois du bon chez l'être humain. Il fait du vélo elliptique chaque matin et va nager trois fois par semaine. Il ne pensait pas être capable de reprendre le sport. En revanche, dès qu'il force un peu, son souffle le rappelle à l'ordre. Il a plus de mal avec ses pulsions alimentaires. La lutte est acharnée et douloureuse avec son mental qui essaie toujours de lui faire croire qu'il va mourir s'il ne mange pas plus. Mais il résiste. Je renouvelle les massages, régulièrement, pour prendre un peu soin de son corps que plus personne ne touche, alors qu'il en a tant besoin. Il pleure, parfois, pendant que mes mains le malaxent. Comme du fromage qu'on presse et dont on sort le petit-lait. J'attends que tout ait coulé pour m'arrêter. Il me sourit, me prend dans ses bras, me dit merci pour l'accalmie.

Anna-Nina lui fait du bien également. Deux grands sensibles qui se rencontrent ont de bonnes chances de se comprendre. Elle commence à gagner aux échecs contre lui, et cela l'aide à prendre confiance en elle, car elle en manque de plus en plus, comme si se confronter aux autres enfants lui avait fait perdre son insouciance. À moins que ce ne soit l'âge, les apprentissages, le simple fait qu'elle grandit et qu'elle découvre les réalités de notre société.

Je la regarde évoluer avec beaucoup de tendresse, parfois le cœur serré de retrouver des sensations de ma propre enfance. Je le sais, je le sens, elle fait partie de ces enfants qu'on dit précoces, surdoués, à haut potentiel, et que l'on devrait appeler dyssynchroniques pour définir ce mélange d'intelligence hors normes et d'hypersensibilité, d'anxiété, de peur de l'échec. À ces difficultés s'ajoute celle d'avoir été écartée, ou plutôt épargnée, de la vie sociale les sept premières années de sa vie. Le décalage doit être violent. C'est peut-être pour cela qu'Éric avait peur de l'inscrire à l'école, mais avait-il le choix ? Il faut bien s'y confronter un jour. À nous de lui apprendre à faire face, à ne pas en souffrir, à comprendre les vraies priorités, à se satisfaire de ce que l'on fait et non à essayer de plaire aux autres. Bref, toutes ces choses que j'ai essayé d'apprendre moi-même et qui ne coulent toujours pas de source.

Anna-Nina reste cependant vive et joyeuse, inventive et joueuse. Elle nous parle souvent de Sébastien. Elle peine à comprendre et encore plus à accepter qu'il puisse se sentir seul et rejeté, elle qui a baigné dans l'amour fou et incon-ditionnel de son père. Nous lui expliquons que les choses ne sont pas simples, qu'il y a toutes sortes d'humains, que chacun fait ce qu'il peut avec la petite valise qu'il trimbale depuis l'enfance et que cela dépend beaucoup de l'amour que l'on a soi-même reçu.

– Donc, moi, quand j'aurai des enfants, je les aimerai forcément ! en a-t-elle conclu ce jour-là.

– Forcément.

– Mais ça veut aussi dire que si Sébastien a des enfants, il ne les aimera pas ?

– Ça ne veut rien dire du tout. Ça dépendra des gens qu'il rencontrera, de la personne avec qui il partagera sa vie, et de ce qu'il aura compris de l'amour.

– Alors, si on lui donne plein d'amour maintenant, il pourra mieux aimer ses enfants ?

– L'amour qu'il reçoit aujourd'hui l'aidera toute sa vie, avec ses enfants et avec les autres. Et je pense que ses parents l'aiment quand même, mais qu'il ne le ressent pas suffisamment pour en être sûr.

Anna-Nina s'emploie depuis à une délicieuse bienveillance envers lui. Il passe une bonne partie de ses weekends chez nous, à jouer ou à bricoler avec la petite et Gustave, à partir en vadrouille avec eux. Il reste discret quand nous sommes là, mais je suis sûre que dans l'intimité de leurs jeux d'enfants, il lève le voile sur ce qu'il ressent, déposant au passage son petit bagage de peine, car je le vois s'épanouir doucement et une joie simple commence à chasser la tristesse de ses yeux.

Éric a mis quelques semaines à trouver ses marques, à combler tout le temps qu'Anna-Nina ne passe plus avec lui, à digérer peut-être cette sensation de vide. Il l'a employé à aménager la vieille cave inutilisée. Nous avons profité d'un week-end durant lequel Gaël était parti chez un ami en Belgique pour aller chercher sa batterie. Ses parents ont accepté de ne pas l'inviter avant que nous lui fassions la surprise afin qu'il ne puisse pas constater sa disparition.

J'ai d'ailleurs prétexté ne pas les avoir vus depuis longtemps pour les inviter à déjeuner, ce qui n'est ni un mensonge, ni une fausse excuse. Nous nous apprécions beaucoup et ils n'ont pas encore vu où leur fils s'était installé, ni la petite troupe improbable que nous formons autour de lui.

Nous avons demandé à Gaël de venir à dix heures pour lui offrir la surprise en exclusivité. Ses parents arriveront vers midi.

Quant à moi, je pense avoir réussi à laisser la raison prendre le pas sur mon corps. Je ne vais plus me promener aux mêmes endroits et je n'ai pas revu l'homme, ni dans la forêt, ni sur la route. Les quelques fois où j'ai entendu une tronçonneuse au loin, j'ai réussi à me convaincre que je ne voulais pas de cette histoire. Je suis rassurée, j'ai quand même une conscience. Et je veux surtout qu'Éric puisse me faire confiance. Je m'en veux déjà de n'avoir pas su fuir, les deux fois où j'ai croisé ce bûcheron dans la forêt.

J'espère même ne plus le revoir.

41

Batterie de cuisine

J'ai dû enlever des araignées, leurs toiles, les vieux pots de terre qui ont trouvé une nouvelle vie dans le jardin, des planches de toute sorte que Gustave a récupérées, des tonneaux en plastique, du charbon en galets qui devait dater d'un ancien chauffage. J'ai nettoyé, gratté, creusé des tranchées dans le mur pour l'électricité, j'ai peint, acheté du matériel, agencé, déplacé, essayé, redéplacé jusqu'à trouver l'emplacement idéal de chaque objet. Tout est prêt et Gaël doit arriver. Je suis très content du résultat, je sens que nous serons bien dans cette cave. C'est cependant à quitte ou double. J'ai tout manigancé sans savoir s'il allait adhérer au projet. Peut-être va-t-il me dire qu'il n'a pas du tout envie de se remettre à la batterie.

Personne n'a eu le droit de visiter l'endroit. J'ai pris soin d'y mettre un cadenas. De toute façon, l'accès extérieur et le matériel qui s'y trouve nécessitaient un minimum de précautions. Pour le reste, j'adore l'idée de faire trépigner Valentine et Anna-Nina. Il faut bien faire comprendre aux femmes que la patience est une vertu. La Valentine féministe me tuerait si elle m'entendait penser cela !

Il fait froid mais sec et le soleil nous permet de patienter à l'extérieur. Nous sommes tous installés sur les marches de la roulotte à guetter son arrivée, sauf Gustave qui fait semblant de s'occuper mais qui ne veut rien louper du rendez-vous. Sébastien est là. C'est un gentil garçon. Il a pris l'habitude de venir passer ses journées du week-end ici, y compris le déjeuner. Son père n'a opposé aucune résistance. D'après son fils, à qui j'ai un jour posé la question, il ne lève jamais la main sur lui. Il m'a expliqué qu'il buvait parfois un peu trop, mais qu'il ne le touchait jamais. Il est triste que sa femme l'ait quitté et il noie son chagrin dans le travail et parfois la bière, au point d'en oublier qu'il a un fils à éduquer. Un enfant de dix ans souffre aussi de l'indifférence.

Ils se sont installés avec Anna-Nina sur le petit strapontin et ma fille lui explique comment on dirige les chevaux d'une roulotte. Les détails sont parfois approximatifs, mais je suis certain que si elle en avait la force physique, elle serait capable de les mener. Elle n'a connu que ça.

Je suis assis sur le palier et Valentine sur la marche en dessous, calée entre mes jambes. Je lui caresse la nuque du revers de la main. Elle a attaché ses cheveux en chignon et quelques mèches sont retombées dans le cou. J'aurais bien envie de lui enlever les épingles l'une après l'autre, et de voir le tout se délier, progressivement, mais ce n'est pas le moment.

C'est Croquette qui vend la mèche en tendant les oreilles et en se redressant, le nez en direction de l'entrée de la cour. Avec le temps, elle a appris à reconnaître le pas de Gaël et la promesse de quelques caresses derrière les oreilles.

– Quel comité d'accueil ! nous lance-t-il de loin.

– Tu vaux bien ça ! répond Valentine.

– Vous ne le faites pas à chaque fois que je viens !

– Oui, mais aujourd'hui n'est pas un jour comme les autres, lance Anna-Nina, qui a déjà sauté de la roulotte, suivie de près par Sébastien.

– Qu'est-ce que ce jour a de si exceptionnel ?

– Papa veut te montrer quelque chose.

Je salue Gaël tout en sortant un foulard de ma poche.

– Tu veux me montrer un tour de magie ?

– En quelque sorte, et c'est toi le lapin.

Je lui dis cela en passant derrière lui et en nouant le morceau de tissu pour lui cacher les yeux. Puis Anna-Nina et Sébastien le prennent chacun par la main pour l'entraîner vers l'escalier. Je passe devant, muni de ma clé, et j'ouvre le cadenas alors qu'ils descendent les marches avec précaution. Je pose ma main à l'arrière de sa tête et l'abaisse pour lui éviter de se cogner à l'encadrement de la porte. Il entend alors les enfants pousser un cri d'admiration. Valentine arrive juste derrière. Elle est moins expressive, mais sourit en me regardant. C'est elle qui dénoue le bandeau.

Tout le monde regarde Gaël qui plisse d'abord les yeux pour s'habituer à la lumière, avant de les écarquiller, pour s'habituer à la surprise.

– Tu as… C'est… enfin… vous… Ma batterie ?

– C'est bien elle !

– C'est pour ça que tu as invité mes parents aujour-
d'hui, alors que je devais aller chez eux ?

– Bien vu !

– Punaise ! Mais c'est géant cet endroit, pour jouer.

– Non, c'est tout petit.

– Ça sert à quoi toutes les boîtes à œufs sur les murs ?
demande Sébastien.

– À casser le son pour éviter que ça résonne trop dans
la pièce, répond Gaël en osant à peine s'installer à son
propre instrument. C'est l'isolant son le moins cher du
monde. Mais il faut aimer les œufs !

Il saisit les baguettes et suggère aux enfants de se bou-
cher les oreilles. Nous le faisons tous, juste avant qu'il se
lance dans un petit solo. C'est la première fois que je le
vois à l'œuvre et je sais déjà que nous nous entendrons
bien. Il a cette capacité de jouer sans réfléchir, sans avoir
peur de se tromper, à l'instinct, et les quelques erreurs
qu'il commet non seulement ne gâchent rien au plaisir,
mais donnent vie au morceau.

Les deux enfants sautillent sur place dans une danse
désorganisée, avec les index dans les oreilles, en riant
comme des fous. C'est la première fois que je vois ce garçon aussi joyeux. Et le troisième gamin dans le même état,
c'est Gaël, qui a fermé les yeux et qui n'est déjà plus là,
parti trop loin dans son plaisir de musicien.

Nous nous éclipsons avec Valentine et refermons la
porte derrière nous pour vérifier l'isolation phonique. Au
milieu de la cour, on n'entend qu'un son lointain. J'ai bien
fait d'ajouter une paroi isolante à la porte en bois, les murs
épais de la bâtisse se chargent du reste.

– Alors, les jeunes ! On s'éclate ? nous lance Gustave qui avance vers nous en tentant quelques pas de deux malgré son arthrose. Il est heureux ?

– Plus que ça ! répond Valentine. Viens voir !

Le son s'interrompt et les enfants sortent de la cave en courant vers la cuisine.

– On va chercher des cuillères en bois ! annonce Anna-Nina. Gaël est d'accord pour qu'on l'accompagne.

J'avais pris soin de disposer les quelques casseroles en cuivre de différentes tailles dans un coin de la pièce, pour s'essayer à d'autres sonorités.

Ils reviennent dans la minute, les cuillères à la main, et s'installent devant les casseroles, prêts à jouer.

– C'est pour cette raison qu'on appelle ça une batterie de cuisine ? demande innocemment ma fille.

Nous rions avant de les laisser tous les trois faire quelques essais.

– Un groupe de rock à Solbach ! s'exclame Gustave. On aura vraiment tout vu !

Gaël effleure à peine sa batterie pour accompagner la cacophonie cuivrée des enfants, le bruit des casseroles est déjà suffisant pour ne pas en rajouter, et les index sont occupés à tenir les baguettes au détriment des oreilles. Il ne voudrait pas leur abîmer les tympans. Je me suis assis sur le muret qui protège l'escalier de la cave et j'attends que les enfants se lassent pour faire le point avec Gaël. C'est Gustave qui vient finalement les chercher pour leur proposer de l'aider à mettre en bocaux sa récolte de tisane. Un travail d'effeuillage pour des petites mains sages.

Assis devant sa batterie, Gaël observe chaque détail de

la pièce. Il y a dans son regard la lueur de l'insouciance et l'impatience des projets.

– Ça te dit qu'on répète ensemble ? Qu'on retrouve nos bases, et qu'on essaie de progresser ? lui dis-je alors.

– Carrément ! Tu chantais aussi dans ton groupe ?

– Oui. Et toi ?

– Non, mais je peux faire les chœurs. Je chante avec les enfants à l'école, mais de là à pousser la voix...

– On fera des essais. Ça te dit qu'on commence par The Pretenders, « Middle of the Road » ?

– Allons-y, je ne suis pas à un milieu de chemin près. Tu l'as choisie exprès pour moi ?

– Je n'ai pas pensé aux paroles, juste au solo de guitare et de batterie.

– Tu as les partitions ?

– Évidemment.

– Et tu les as déjà bossées ?

– À ton avis ?

– À mon avis t'as plus le temps que moi. Il faudra m'en laisser un peu.

– Je suis sûr que tu iras vite. Tu m'as l'air chaud.

– Je n'ai jamais été aussi bien installé pour taper sur mes caisses sans déranger personne. Mes parents n'en pouvaient plus quand j'étais jeune. J'avais besoin de me défouler.

– Aujourd'hui aussi, non ?

– Oui. Bon, il y a un grand malade qui a décidé de me remettre au sport, ça me défoule aussi.

– Le grand malade te dit bravo. Il ne pensait pas que tu t'y mettrais comme ça.

– Ça motive d'avoir quelqu'un qui t'encourage, qui te surveille, qui te guide. Et le jour où tu m'as mis un message incendiaire parce que je n'étais pas venu, je me suis trouvé con. Tu passes du temps avec moi, pour moi, alors je me sens redevable d'efforts.

– Il faut avant tout que tu le fasses pour toi.

– Je le fais pour moi, mais pas seul. Et ça change tout. Pourquoi tu as dit oui ?

– Je me sens utile. Tu t'occupes de ma fille, je peux bien m'occuper de toi. Et puis, c'est Valentine qui m'a demandé.

– Tu fais tout ce qu'elle te demande ?

– Ça dépend du domaine !

– Ça va avec elle ?

– Oui. Je cherche encore mes repères. J'en ai trouvé quelques-uns depuis que j'ai décidé de laisser partir Hélène. Mais j'ai encore peur de m'attacher trop à elle, encore peur de m'engager. Et je sais que c'est ce qu'elle désire.

– Elle attend depuis si longtemps.

– Mais suis-je vraiment la bonne personne ? Elle ne me connaît pas.

– Ça, on ne le sait jamais vraiment. Tu ne la connais pas non plus.

– Je n'ai plus envie de souffrir.

– Personne n'a envie de souffrir, banane. Mais moi, je n'ai pas envie de m'éteindre parce que j'ai peur. C'est comme le cheval. Si tu ne remontes pas parce que tu es tombé, tu ne fais plus rien dans la vie. Tu ne prends plus non plus ta voiture au moindre accident. Tu ne sors plus quand il pleut de peur d'être mouillé.

– Elle voudra des enfants, non ? Et j'aurai peur de la perdre à l'accouchement.

– Tu ne peux pas éviter la peur, mais tu peux décider qu'elle ne t'empêche pas d'agir. Moi j'ai peur de ne pas perdre mes kilos, et pourtant j'essaie.

– On croirait Gustave, quand il me parle.

– Tiens, on dirait mes parents qui arrivent... Merci Éric pour la cave. Tu ne peux pas savoir à quel point ça me rend heureux.

Je le regarde monter l'escalier, avec quelque difficulté encore. Il ne le montre pas, mais je sais qu'il souffre. On ne peut pas solliciter son corps comme il le fait depuis quelques semaines sans avoir mal. Même s'il va doucement, même si c'est progressif, ça ne l'est de toute façon jamais assez quand on a tout arrêté. Mais il s'accroche. Je ne le connaissais pas, je le découvre, on s'apprivoise. Il m'avait semblé mièvre, en juin, de ne pas se sortir de son histoire avec son assistante sociale extraconjugale, qui l'a finalement envoyé balader sans autre forme de procès. On n'est pas mièvre, quand on a du désir. On est juste loin de la réalité du monde. Mais aujourd'hui, je le vois sous un autre jour. Fragile et solide. Doux et fort. Rockeur au grand cœur. Je comprends qu'il ait choisi la batterie. Il doit frapper avec ses baguettes ce qui bat directement dans son cœur. C'est fort, c'est puissant, c'est vivant, c'est partout et tout le temps. La batterie n'est qu'un canal de cette énergie-là.

42

Vivre à côté de la marmite

Gustave a bien senti qu'après le dessert, les conversations d'adultes n'avaient aucun intérêt pour les deux enfants de la tablée. Il leur propose d'aller poursuivre leur chantier, étant donné la météo clémente. Sébastien s'est intégré au projet avec beaucoup d'intérêt. Ils s'y sont peu rendus en raison de la pluie de ces derniers week-ends, mais ils ont élaboré la suite des plans dans l'atelier, à côté de la grange, et une nouvelle tranche de construction est prête. Ce sera plus facile avec deux ouvriers dans les branches.

La carriole est chargée au maximum et Sébastien aide Gustave à pousser dans la montée pour préserver Anna-Nina. Celle-ci revendique pourtant quelques forces, mais elle ne fait pas le poids face à lui, de trois ans son aîné. La fillette ayant décidé de le couvrir de douceur et de bienveillance, ce garçon aux yeux tristes lui offre en retour beaucoup de prévenance. Il pourrait ne pas savoir, ne pas avoir appris, mais la petite trimbale et diffuse une gentillesse hautement contagieuse. Avec elle, il sait.

Arrivés sous l'arbre, ils ne tardent pas à décharger le

matériel et à commencer l'assemblage. La nuit tombe de plus en plus tôt et ils n'ont que peu de temps devant eux. Le deuxième palier est plus acrobatique que le premier. Il faut d'abord monter les planches en slalomant entre les branches, et être encore plus prudent dans les déplacements. Bientôt le plancher prend forme et les deux enfants en font le tour en lançant des signes de la main à Gustave, qui les félicite.

– Allez, zou ! Il faut rentrer maintenant. La nuit va tomber et demain, il y a école. Sébastien, tu ne dois pas partir ?

– Si, bientôt, répond le garçon en faisant la moue.

Il sait ce que cela signifie. Son père lui demandera de faire son sac, puis l'emmènera à la gare. Il prendra le train seul. Avec un peu de chance, quelqu'un l'attendra à Strasbourg, mais comme la plupart du temps, personne ne sera là, alors il prendra le tram, puis un bus, pour rentrer dans son quartier, retrouver sa maman, heureuse de le revoir, certes, mais très occupée avec ce nouveau bébé et son beau-père, qui ne lui posera aucune question sur ce qu'il a fait, ni comment il va. L'homme se contentera de lui demander de mettre la table, puis de la débarrasser, et l'enverra dans sa chambre pour être tranquille avec sa mère.

– Tu crois pas que tu pourrais rester là ? lui chuchote Anna-Nina.

– Comment ça, là ?

– Ben, là, à Solbach, avec nous. Il y a une chambre libre chez Gustave. Et puis, tu pourrais venir à la même école que moi.

– Mais j'ai quand même envie de voir ma maman et ma petite sœur. Et puis, ils ne seraient pas d'accord. C'est pas comme ça que ça marche.

Anna-Nina fouille dans sa poche. Elle y fourre toujours tout ce qu'elle glane dans la nature en se promenant. Aujourd'hui il y a un caillou rond, un morceau de bois en forme d'Y, une faîne et une vieille racine tordue. Elle choisit le caillou, qu'elle dépose dans la main de Sébastien.

– Tiens, c'est pour toi. Tu peux le garder avec toi, et à chaque fois que tu te sens seul, tu le serres fort dans ta main. Ça voudra dire que je pense à toi.

– Comment tu sauras que je serre le caillou ?

– Je le saurai.

Sébastien lui sourit puis descend le long des branches en vérifiant qu'elle suit sans encombre. Gustave a déjà chargé les outils et entame la montée en s'assurant que les deux enfants font de même. Quand ils rejoignent le chemin, Anna-Nina saisit le bras de Sébastien pour interrompre sa marche, se met sur la pointe des pieds, lui chuchote quelques mots à l'oreille et lui fait ensuite un clin d'œil complice.

– Gustave, aujourd'hui, c'est toi qui montes dans la carriole, lance-t-elle soudain au vieil homme qui pousse l'engin quelques mètres plus loin sans avoir vu leurs cachotteries.

– C'est pas pour les vieux, ça ! proteste-t-il.

– T'es pas vieux ! Tu le dis toi-même. Tu ne peux pas être vieux que quand ça t'arrange ! Allez, hop !

Gustave s'exécute avec un enthousiasme mêlé de crainte. La grande descente vers le village, il la connaît. Si les enfants lâchent, il ne s'arrêtera qu'en versant sur le côté, non sans conséquences pour sa hanche ou son épaule. Et à son âge... Mais il est le premier à dire qu'on n'a qu'une vie. En se retournant et en les voyant prêts, les mains sur les manches, le sourire large, il enjambe l'habitacle en métal et s'assoit au milieu des outils. Le trio repart au pas, pour le préserver, quand les roues passent dans les ornières du chemin. Il s'accroche un peu plus au moment d'aborder la pente, mais les enfants ont à cœur de réussir leur entreprise et ils se sont penchés en arrière pour retenir le véhicule de tout leur poids.

Ils arrivent dans la cour quelques instants plus tard, alors que les parents de Gaël s'apprêtent à monter dans leur voiture. D'abord étonnés, ils comprennent devant la scène pourquoi leur fils a trouvé refuge ici et s'y sent suffisamment bien pour entreprendre de changer de vie. Il doit se sentir léger rien qu'à les côtoyer. Éric s'est absenté un moment après le repas pour les laisser entre eux. Ils ont longuement parlé cet après-midi, de Gaël, de ses décisions, de ses souffrances, de leur cause. Sa mère a pleuré en comprenant que ses angoisses étaient probablement à l'origine de l'obésité de son fils, elle qui l'a rempli depuis tout petit de nourriture et de peurs inconnues. Elle qui continue aujourd'hui. Qui n'a jamais entendu quand on lui disait qu'elle en faisait trop. Valentine était là, elle l'a rassurée. Comprendre qu'on ne maîtrise pas tout, qu'on n'est pas responsable de certains comportements ancrés, de certains héritages lourds de secrets trop bien gardés. Lui faire entendre qu'elle n'a pas à culpabiliser, car elle n'a pas voulu cela, elle n'a jamais cherché à nuire à son fils, au contraire. Elle a fait ce qu'elle a pu dans le contexte et l'histoire dans lesquels elle a baigné elle-même, depuis toujours. Valentine lui a suggéré d'aller, elle aussi, consulter la femme aux cheveux gris, celle qui lui a permis de comprendre que ce qui l'empêchait de s'engager dans le présent avec un homme venait de son passé, de cette grand-mère qui pendant la guerre avait failli mourir sous la torture, étouffée dans un seau, par amour pour son Léon. Cette femme aux cheveux gris qui a permis à Gaël de comprendre qu'il ne mourrait pas en mangeant simplement à sa faim.

Monique a promis qu'elle prendrait en charge l'opération esthétique, quand il en sera question, pour enlever l'excès de peau laissé par l'amaigrissement et qui encombrera son fils, comme un poids mort, comme le souvenir d'un passé dont il ne veut plus. Sa façon à elle de participer, de faire sa part dans la réparation.

Elle ne sait pas pour la femme aux cheveux gris. C'est difficile de soulever des couvercles quand on sait qu'il faudra remuer. Il est tellement plus confortable de vivre à côté de la marmite, en la laissant doucement mijoter sans s'en préoccuper. Mais elle va réfléchir.

43

Youpi

Les parents de Gaël viennent de partir. C'était une belle journée, riche en émotions pour lui. Sa batterie, ses parents, sa nouvelle vie, ses projets, ses démons à abandonner. Après avoir demandé à Valentine s'il pouvait aider, et face à son refus, il se dirige vers la cave. Cela doit le démanger de s'y remettre, de tester ses souvenirs et ses automatismes passés.

Valentine a déjà commencé à débarrasser la table en compagnie de ma fille. Sébastien est parti rapidement, pour ne pas rater son train. Elle me fait signe de rejoindre son ami, elle s'occupe de tout. C'est un jour particulier, notre première répète...

Gaël est assis sur le tabouret, les baguettes en main. Je referme la porte derrière moi pour nous isoler et ne gêner personne. Je ne dis rien. J'enfile des bouchons d'oreilles et j'en tends une paire à Gaël. Je décroche ma guitare de son socle, je la branche à l'ampli, et je gratte les cordes dans un premier accord en le regardant. Ça en jette ! Le son éclabousse les murs. Son visage s'illumine. Il vient de faire un saut en arrière d'environ quinze ans. Il lève les bras en l'air et cogne les toms pour une introduction d'enfer avant de se caler sur une rythmique et me faire signe qu'il m'attend. Le saut dans le passé opère pour moi aussi. Je me revois avec mes copains de lycée, dans le garage de l'un d'eux, cheveux longs, premières bières, des rêves plein la tête et l'ambition conquérante. Les répètes, c'était notre bouffée d'oxygène, deux fois par semaine, ce qui nous faisait tenir face aux profs, aux parents, à la société qui nous attendait de pied ferme sans nous ouvrir les bras. Aujourd'hui, l'énergie n'est plus la même, la rage a changé de cible et le bilan est mitigé. Une petite fille magnifique mais une femme qui s'est évanouie dans des ténèbres inaccessibles, des ambitions revues à la baisse, juste mettre un pied devant l'autre, me frayer un chemin, sans forcément imaginer d'autre but que rendre Anna-Nina heureuse.

Mais cette guitare qui vibre contre mon ventre, cette batterie qui secoue mon corps, cet enthousiasme de Gaël à jouer sans réfléchir me filent une énergie que je n'avais pas ressentie depuis des années. Nous improvisons l'un et l'autre, chacun se rattrape quand les deux sons se disjoignent, mais l'équilibre est là, l'harmonie possible. Un peu d'entraînement et nous devrions vite en sortir quelque chose de bon.

C'est déjà bon.

Nous tâtonnons une petite demi-heure avant que Gaël ne retourne chez lui pour nager un peu. Pas de marche aujourd'hui, j'ai prévu d'emmener ma fille en balade. Tout ce temps que je ne passais qu'avec elle dans la roulotte me manque. Même si je sais qu'elle s'épanouit autrement, avec d'autres personnes, même si je vaque moi aussi à mes propres occupations, j'ai encore besoin de ces moments avec elle, juste avec elle.

Nous sommes montés d'un pas rapide jusqu'au banc, tout en haut du mont Saint-Jean, qui nous offre l'enfilade des Vosges et le soleil couchant. Elle s'est appuyée contre mon épaule et nous regardons les nuages changer de couleur, et les crêtes des montagnes, les unes derrière les autres, offrir une palette de bleus dans un dégradé imperceptible. Le ciel au nord est dégagé et la lune est proche de son plein, nous n'aurons pas besoin de lampe sur le chemin du retour, même si la nuit tombe entre-temps. J'aime encore transgresser l'idée d'une heure de coucher à respecter pour le bien de l'enfant. Le bien de ma fille, il est ici, dans ces moments de poésie où nous regardons la beauté du monde en faisant de la philosophie.

– Papa, c'est quoi le plus important ? L'eau ou les arbres ?

– À ton avis ?

– L'eau ? Parce que sans eau, il n'y a pas de vie ?

– Mais il peut y avoir de la vie sur terre sans arbres ?

– Il y a plein d'endroits sans arbres…

– Oui, mais à l'échelle de la planète ?

– Gaël nous a dit l'autre jour que la forêt d'Amazonie, c'était le poumon de la Terre.

– Bon. Et nous, nous pouvons vivre sans poumons ?

– Ben non ! Si on n'a pas de poumons, on ne peut pas respirer.

– Alors, si on ne peut pas respirer, ça ne sert à rien de pouvoir boire.

– Alors, il n'y en a pas un plus important que l'autre ?

– Je crois que tout ce qui existe dans la nature est important.

– Alors, pourquoi les hommes cassent tout ?

– Parce qu'ils ne comprennent pas toujours ce qui est important.

– C'est quoi, ce qui est important ?

– Dis-le-moi, ma puce, ce qui est important pour toi.

– Mais après tu me dis pour toi !

– Promis.

Elle prend le temps de réfléchir, se blottit contre moi en gigotant pour chercher la position la plus confortable. Une fois qu'elle l'a trouvée, elle me prend la main et se lance :

– Ce qui est important pour moi, c'est de m'endormir le soir en sachant que je ne risque rien, et que tu seras encore là le matin. Et quand je me réveille, c'est d'avoir envie de me lever, parce que j'ai plein de choses à faire. Ce qui est important, c'est de savoir que tu vas bien, que tu es heureux, et Valentine aussi, et Gustave aussi, et Gaël, et Sébastien maintenant aussi. Ce qui est important pour moi, c'est de croiser des personnes gentilles, et que les choses soient justes, que personne ne fasse de mal à personne. Et puis, c'est de comprendre tout ce que je ne comprends pas. Et de voir sourire les gens. Et toi ?

– Pour moi, le plus important, c'est que tu sois heureuse.

– C'est tout ?

– Non, ce n'est pas tout, mais c'est le principal.

– Et Valentine, elle est importante pour toi ?

– Tu aimerais bien, hein ?

– Elle est importante pour moi, alors ça serait bien qu'elle soit importante pour toi.

– Elle l'est. Mais je ne sais pas encore trop comment.

– On s'en fiche comment, du moment qu'elle l'est.

Elle a le mot de la fin. Un baiser claque sur ma joue avant qu'elle vienne grimper sur mon dos en enlaçant mon cou.

– T'es le plus chouette des papas !

– En même temps, tu ne connais que moi.

– Pas vrai ! Sébastien me parle de son père.

– Ah. Oui.

– Et j'en vois à la sortie de l'école. Eh ben, c'est vraiment toi le plus chouette.

– Youpi !

J'aime dire youpi à ma fille sur un ton banal, comme Droopy. Elle sait que je ne suis pas très expansif, mais que, quand je le dis, je le pense. Nous avons toutes sortes de codes, compréhensibles par nous seuls. Nos petits secrets construits dans l'intimité de notre roulotte. Ce sont eux qui constituent ce minuscule noyau familial que nous formons, cette complicité, elle et moi, comme une molécule à deux atomes. Deux atomes d'oxygène pour mieux respirer. Ça ne nous empêche pas de nous lier à d'autres atomes, mais le noyau est là, solide comme un diamant.

Que la vie ne vienne pas le briser.

44

Une écharpe sur le portemanteau

Je finis de ranger la vaisselle que Gustave a essuyée. Gaël est rentré chez lui, comblé par sa journée, même si quelques larmes maternelles sont venues le secouer au cours du déjeuner. Il les a enfermées dans sa cave à musique, les a déchargées dans ses baguettes en bois, flanquées sur les boîtes à œufs, dans une vibration fatale pour les relents de peine.

Éric est parti avec sa fille, marcher, parler sûrement, et la câliner.

Je sens quelque chose monter en moi. Un mélange de colère et de tristesse, du désarroi. Peut-être de la panique. Tout se bouscule. Je repense à l'homme, je pense aussi à Éric. Ce n'est pas si simple de faire une place, ce n'est pas simple non plus d'accepter que l'autre ne veuille pas la prendre en entier parce qu'il a aussi sa vie. Pas simple encore de s'engager avec quelqu'un sans savoir si ça ira, mais en se sentant obligé de refermer la porte derrière soi et ne laisser entrer personne d'autre. Je pensais que c'était évident, naturel. Et je me retrouve confrontée à des choix, des tiraillements, une lutte terrible entre un puissant désir sans lendemain, qui me fait exister sur l'instant mais qui me ronge, et une vie plus sereine mais encore un peu floue. Je sais ce que je veux et ce que je ne veux pas. Je sais que c'est Éric, mon avenir. Je le sais et ça ne suffit pas. Je le sais et je dois quand même lutter. Je pose les mains sur le bord de l'évier et je ferme les yeux pour reprendre ma respiration, essayer de chasser ce mauvais sentiment qui mine et qui use, qui arrive comme une déferlante sur un rivage serein.

Gustave me connaît par cœur. Je crois que même sans me voir, s'il est dans la même pièce, il est capable de sentir quand je bouillonne au-dedans. Il suspend le torchon humide au fil qui passe au-dessus de la cuisinière, avant de saisir une pomme et son couteau. Il s'assoit à la table, attrape un coin de journal et commence à couper le fruit en quartiers en le débarrassant du trognon.

– Tu en veux un morceau ?

– Non merci.

– Alors crache le tien, de morceau. Qu'est-ce qui se passe ?

– Je suis un peu perdue !

– Parce que tu ne sais pas ce qu'il veut ?

– Oui. Je crois que j'ai besoin de réponses. Qu'il me le dise !

– Parce que tu sais toujours ce que tu veux, toi ?

Vlan ! Même quand il ne sait pas tout, il trouve les bons mots. À moins qu'il ne sache ? Il m'a demandé si je connaissais l'homme quand il est passé sur la route et que nous étions au jardin. M'aurait-il aperçue dans la forêt ? Cependant, il dit peut-être cela d'une manière générale.

C'est moi qui l'interprète à ma façon. Je l'espère. Personne ne doit savoir ce qui se trame en moi. J'enchaîne :
– En ce moment, il passe plus de temps avec Gaël qu'avec moi.
– Pas pour faire les mêmes choses ! Tu deviens jalouse. Ça veut dire que tu deviens possessive, Valentine. Méfie-toi, c'est pas le genre d'homme à supporter ça, après sept ans d'indépendance et de solitude.
– C'est plus fort que moi.
– Rien n'est plus fort que toi si tu décides que non. Alors, décide que non ! Tu as peur de ne pas compter assez pour lui, hein ?
– Oui.
– On a tous peur de ça. Dès qu'il sort du ventre maternel, l'homme a peur d'être seul et abandonné. Prends ce qu'il te donne, tu ne peux pas agir sur le reste. Il a besoin de respirer. Qui te dit que ça l'empêche de tenir à toi ?
– Il ne me le montre pas.
– Aaaah, ces femmes qui ont besoin qu'on leur dise à longueur de journée qu'on les aime. Il est revenu, il s'est installé ici, il te donne des câlins et te fait confiance pour sa fille. Tu veux quoi de plus ?
– Je ne sais pas. Une vraie vie de couple ?
– Et la routine qui va avec ? Il n'est pas fait pour ça. Tu ne le feras pas rentrer dans un moule. Tu le prends comme ça, ou tu renonces.
– Je n'ai pas envie de renoncer, je crois que je l'aime.
– Tu l'aimes lui, ou tu aimes l'idée qu'il te permette de ne pas être seule ?
– Lui.

– Tu lui as dit ?

– Non. Je n'ose pas.

– Tu as peur qu'il ne te réponde pas, hein ? C'est risqué d'aimer. Mais le seul risque, c'est de ne pas avoir de retour. En y réfléchissant, ça n'est pas plus dangereux qu'une grosse déception. Ça n'a jamais tué personne, une grosse déception.

– J'en ai marre d'être déçue.

– Alors n'attends rien, tu ne le seras pas. On n'est déçu que quand ce qu'on espérait n'arrive pas. Tu ne crois pas ?

– Si. Bon. Je vais chercher un chaton pour Gaël. Ils en ont eu cinq chez Odette, elle m'a dit qu'il était sevré, que je pouvais le récupérer.

– Ton ami est au courant ?

– Non, mais je sais que ça lui fera du bien. Au pire, s'il n'en veut pas, on le prendra, ça n'en fera que trois.

« Rien n'est plus fort que toi si tu décides que non. » J'ai un sombre doute quand même.

Je sors de la maison alors qu'Éric et Anna-Nina reviennent, main dans la main. La connaissant, je sais qu'elle adorera venir avec moi chercher le petit chat. Je rassure son père, la course ne sera pas très longue. Il s'en fiche, en fait. Il tient juste à ce que sa fille se couche avec des paillettes dans la tête, peu importe l'heure. Et papouiller un chaton, c'est bourré de paillettes. Il me demande simplement s'il peut préparer le repas du soir. Je lui parle des restes du déjeuner, de la seule contrainte de mettre le couvert, et lui dis que nous serons rentrées vers

dix-neuf heures, l'heure à laquelle Gaël vient habituellement partager avec nous le dîner. Nous lui offrirons le
fauve à ce moment-là. J'ai déposé un tissu au fond d'un
panier en osier à couvercle, pour transporter l'animal sans
risque qu'il s'échappe. Anna-Nina souhaite absolument le
porter. Sa main libre attrape la mienne et nous filons vers
le milieu du village.

En empruntant la rue d'Odette au-dessus de la mairie,
nous passons devant la maison qui était à louer jusqu'à cet
été. L'atelier attenant est grand ouvert et on peut entendre
un poste de radio. La nuit n'est pas encore tombée mais il
y fait sombre. Deux points de lumière intérieure me permettent d'y voir des outils à bois, une grande échelle qui
doit monter sous le toit, des planches, des branches, des
morceaux de tronc partiellement sculptés. Évidemment,
mon regard est attiré puisque je travaille aussi le bois. Un
homme en sort d'un pas décidé, une bouteille de bière à
la main.

C'est lui.

Il habite donc là...

En nous voyant, il ne s'immobilise pas mais ralentit
son pas, aussi surpris que moi. J'accélère le mien en tirant
la petite et en regardant droit devant moi. Je me retourne
quelques mètres plus loin. Il s'est arrêté devant sa maison
et me suit des yeux.

Anna-Nina attend que nous nous soyons éloignées pour
chuchoter :

– C'est le père de Sébastien. Il n'a pas l'air très drôle.

– Il a peut-être des soucis ? dis-je, l'air naturel.

– Sébastien dit qu'il travaille tout le temps depuis qu'ils

sont divorcés et que c'est pour ça qu'il ne s'occupe pas de lui. Parce qu'il est triste et qu'il ne sait pas comment faire avec lui.

– Tu es sûre que c'est son père ?

– Ben oui, Sébastien m'a dit qu'il habitait ici. Je ne vois pas qui ça pourrait être d'autre !

– Il fait quoi dans la vie ?

– Il travaille dans la forêt.

C'est donc bien le père de Sébastien. Je suis troublée, décontenancée, je dois être nerveuse mais je fais tout pour ne pas le montrer.

– Tu le connais ? demande Anna-Nina.

– Non, pas du tout.

Je déteste mentir. Je prends soudain conscience qu'on n'a pourtant pas toujours le choix. Quoique si. On peut faire en sorte de ne pas en avoir besoin, donc d'être pleinement intègre, droit, juste, fidèle, honnête, et tout le tralala. Qui l'est ? Chacun fait ce qu'il peut sur l'instant et se rattrape après. J'ai fait ce que j'ai pu sur l'instant il y a quelques semaines, dans la forêt, et je suis en train de me rattraper en mentant.

– Tu crois qu'on peut faire quelque chose pour que son papa soit moins triste, et pour qu'il s'occupe plus de Sébastien ?

– Que voudrais-tu qu'on fasse, on ne le connaît pas ! Et puis, on ne sait pas ce dont il a besoin.

– Il a peut-être besoin d'être de nouveau amoureux. Les élastiques, ça rend joyeux, non ?

– Peut-être. Mais ça, ça ne se décide pas pour les autres. Tu sais comment il s'appelle ?

– Yann. Je le sais parce que, avec Sébastien, on s'est dit tous les prénoms importants autour de nous, pour voir si on en avait des pareils. Yann Delvaux. Ça fait Sébastien Delvaux. C'est joli, hein ? Je me disais que si on se mariait un jour, je m'appellerais Anna-Nina Delvaux. Ça sonne bien, non ?

– Tu veux te marier avec lui ?

– Non, j'essayais juste. Tu le fais jamais ? Toi, si tu te mariais avec papa, ça donnerait Valentine Duval. Ça sonne encore mieux.

– Mais j'aime bien Bergeret.

– Alors tu gardes les deux ! Valentine Bergeret-Duval. Ça marche. Moi, pas trop. Anna-Nina Duval-Delvaux, on dirait que je bégaie.

J'accélère encore, en prétextant que nous risquons d'arriver tard pour le dîner. Je veux surtout changer de sujet de conversation et chasser les idées qui tourbillonnent dans ma tête comme un essaim de guêpes. On essaie de les fuir en pressant le pas et elles nous suivent, agressives et déterminées.

Quand nous arrivons dans le salon d'Odette, Anna-Nina se précipite vers le panier qui grouille de petites peluches vivantes. Ils jouent à se grimper dessus, à se mordiller, devant une mère impassible qui n'intervient que pour les lécher. La petite ne les touche pas, de peur de les déranger. Elle s'est allongée sur le ventre, les jambes relevées et la tête reposant sur ses mains. Odette nous a gardé une femelle.

– J'ai prévu celui-là, dit-elle en me montrant le petit gris avec des pattes blanches.

– Parfait !

– Il a déjà eu un chat ton ami ? Il sait comment faire ?

– Je vais lui expliquer. Ce n'est pas bien compliqué. Odette nous a préparé un thé et je laisse Anna-Nina jouer avec la portée. Les chatons grimpent sur elle sans but précis, juste aller de l'avant et franchir les obstacles de ses petites jambes menues. Elle me regarde de temps en temps, comme pour partager son bonheur. Elle leur dit des mots doux et les caresse, ne sachant pas où donner de la tête. Elle a pris dans ses bras le petit chat destiné à Gaël et le serre contre elle. Je lui annonce que nous allons bientôt partir.

– Mais sa maman ne va pas lui manquer ?

– Sûrement un peu, mais Odette ne peut pas tous les garder. Nous dirons à Gaël de s'en occuper comme une mère.

– Je lui dirai, moi, comment on fait pour vivre sans maman. Et je m'en occuperai.

Anna-Nina a les larmes aux yeux en mettant la petite chatte dans le panier et en voyant sa mère qui tourne autour. J'abrège le moment du départ, et la déchirure qu'elle doit ressentir en s'identifiant aux chats. Je lui propose vite de réfléchir à un nom, même si nous laisserons à Gaël le choix final.

Je crains le moment où nous allons passer devant la maison de Sébastien. Je le crains et en même temps je l'attends. Quand je l'ai vu, l'envie est revenue instantanément, comme un envoûtement. Moi qui croyais m'en être progressivement débarrassée. La seule possibilité qui semble s'offrir à moi est de ne pas répondre au désir, puisque l'étouffer semble impossible. Mon cerveau raisonnable peut donc être sourd à l'envie, pas l'empêcher de naître.

Gustave, on ne peut pas toujours décider que non. Du moins pas dans ce qu'on ressent.

Dès la maison en vue, je scrute chaque recoin de l'espace pour voir si je l'aperçois. Il serait tellement plus simple qu'il ne soit plus là. Mais tellement moins troublant, tellement moins excitant. Personne dans la petite cour, personne dans l'atelier. Je suis presque déçue. Ce n'est qu'au dernier moment, en arrivant à hauteur de la maison, que je me rends compte qu'il est derrière sa fenêtre, au rez-de-chaussée. Il tient le rideau levé et ne cherche même pas à se cacher. Nous nous observons quelques secondes, le temps que je peux lui accorder sans qu'Anna-Nina s'en rende compte. À peine quelques pas. Heureusement, elle est tout occupée à veiller sur le chat.

Voilà, il est derrière moi. Je ne sais pas s'il m'attendait, s'il m'espérait aussi, ou si c'est un hasard. Cette rencontre est-elle un hasard depuis le début ? À moins que le soi-disant destin n'ait décidé de me balancer deux hommes en même temps pour m'obliger à réfléchir, à affronter le doute, le trouble, me mettre à l'épreuve avant de m'engager, me faire bien comprendre que la liberté d'une solitude existe nettement moins en couple ?

Valentine, le hasard existe aussi, tu sais...

Durant toute la montée de la rue, Anna-Nina serre le panier contre son ventre et regarde si tout va bien à l'intérieur. Il lui tient à cœur de faire voyager le chaton avec le moins de secousses possible. Nous arriverons en dernier et je sais que le repas ne commencera qu'une fois le chaton donné. Elle est tellement impatiente. Et l'animal doit l'être de sortir de son abri. Et moi ? Qui regarde si tout va bien à l'intérieur ? Pourtant, les secousses sont violentes.

Quand nous entrons dans la cuisine, les hommes sont attablés autour d'un apéritif improvisé, tout est prêt, nous n'avons plus qu'à nous asseoir. Je pense avoir retrouvé toute la contenance nécessaire pour ne rien montrer de mon trouble. Gaël nous demande si nous étions aux champignons, en voyant le panier.

– Non, mais nous avons trouvé un spécimen bien plus intéressant qu'un champignon, répond Anna-Nina.

– Ça se mange aussi ?

– Ah non, ça se caresse ! dit-elle en soulevant le couvercle en osier, laissant apparaître deux grands yeux étonnés.

– Pour qui donc est cette petite bête attendrissante ? demande Gaël.

– Ben pour toi !

– Comment ça, pour moi ? Mais je ne sais pas m'occuper d'un chat !

– Ne t'inquiète pas, répond-elle, c'est lui qui va s'occuper de toi.

– Ah. Mais vous êtes sûrs que je suis fait pour lui ?

– Tout le monde est fait pour un chat, mais certains ne le savent pas, dis-je en lui caressant le haut du dos. Le coller sur ton ventre et le sentir ronronner te fera fondre, tu verras.

– Comment tu vas l'appeler ? lui demande Éric.

– Laisse-moi d'abord intégrer l'idée du chat avant celle de son prénom.

– Moi, j'ai pensé à Socquette, lance Anna-Nina, comme elle a le bout des pattes blanc.

– C'est vrai, c'est joli Socquette, dit Gaël.

– Et tu sais, maintenant qu'elle n'a plus de maman, c'est toi qui vas devoir lui donner de l'amour et des câlins.

Anna-Nina le dépose entre les grandes et larges mains de Gaël qui ne sait trop que faire de l'animal. De peur qu'il ne tombe, il le serre contre son torse, minuscule boule de poil face au colosse. Gaël lui souhaite la bienvenue en lui caressant la tête, un peu gêné par la situation. Flagrant délit d'homme attendri.

Le chaton dort sur ses genoux tout le temps du repas, puis Gaël repart sans le panier, Socquette dans les bras, vers son petit chez-lui qu'il partagera désormais. Je l'accompagne avec le matériel nécessaire, que j'avais prévu à l'avance. Il est touchant.

– C'est bon de vous avoir, dit-il, alors que je m'apprête à repartir. Tout ce que vous faites pour me rendre heureux. C'est fou !

– Tu es mon meilleur ami, c'est normal. Quand je ne vais pas bien, c'est toi qui me soutiens.

– Vous formez comme une famille, c'est beau à voir.

– Tu en fais partie, tu sais ? Il n'y a pas plus belle famille que celle qu'on choisit.

– C'est bizarre la vie. Ça bouge tout le temps. Des gens qui arrivent, d'autres qui s'en vont, des moments douloureux et d'autres de grâce... J'avais envie que le mouvement s'arrête quand Geneviève est partie, pour faire une pause, un temps mort, récupérer, reprendre ma respiration. Et aujourd'hui, j'ai envie que ça bouge.

– C'est bon signe.

– Mais l'avenir est quand même bien flou. C'est long d'attendre un corps dans lequel je me sentirai bien. Une femme avec qui redémarrer une histoire.

– Pourquoi tu penses à tout ça ? Reviens ici. Avec les événements du présent. C'est déjà bien suffisant.

– Ah, quand l'hôpital se fiche de la charité ! Tu y es, toi, dans le présent ? Je suis sûre que tu rêves de l'avenir même quand tu ne dors pas !

– Oui, c'est vrai. Mais il faut bien avoir des rêves dans le viseur pour donner une direction au présent.

– Allez, ton présent t'attend chez toi ! Rentre. Je ne sais pas ce que j'aurais fait sans toi.

– Tu aurais fait sans moi.

Il fait nuit et le village est silencieux. À peine un chien qui aboie au fond d'une cour lointaine. Les fenêtres des maisons sont éclairées et la pleine lune éclaire les fumées blanches qui s'échappent des cheminées. J'ai relevé mon écharpe et je resserre mon gilet sur ma poitrine. Depuis la rue de Gaël, on aperçoit en contrebas la maison, près de la mairie. Je me demande ce qu'il fait seul le soir quand son fils est parti. Il regarde la télé ? Il boit ? Travaille dans son atelier ? J'aurais été seule dans la vie, j'y serais peut-être allée.

Quand j'arrive dans la cour, je vois la lumière dans mon salon, chez Gustave et dans la roulotte. Anna-Nina doit dormir à poings fermés, elle était épuisée, Croquette est probablement allongée sur le tapis pour la veiller. Gustave tricote sans doute devant le feu en regardant un vieux film à la télé. Éric, je ne sais pas. Je m'immobilise au milieu de la cour pour respirer profondément, en savourant tout ce qui m'entoure. J'entends quelques accords de guitare sèche qui proviennent de la roulotte. Je décide de m'approcher. Je frappe au carreau, et j'attends qu'Éric vienne m'ouvrir.

La lumière s'éteint et je vois une ombre passer derrière la porte vitrée, qui s'entrouvre. Une invitation à entrer. Je pousse la porte et j'avance doucement. Je me retourne pour la refermer sans bruit. Éric me plaque alors contre la paroi vitrée, de tout son corps. Je sens son souffle dans mon cou. Il maintient mes bras le long de mes hanches. Je ne peux pas bouger. Il me murmure seulement « Vous ici », avant de me retourner fermement et de m'emmener contre son portemanteau, dans l'angle de l'entrée. Bloquée entre ses sweats et son manteau, je baigne dans son odeur. Il s'est collé à moi et pose une main sous ma mâchoire, l'autre sur ma bouche, comme s'il voulait m'empêcher de crier. Son regard est déterminé, sauvage. Je me sens vulnérable. J'en frissonne. Je suis proche de ce que j'ai ressenti l'autre jour contre l'arbre. Cette chaleur qui m'inonde... Il peut faire ce qu'il veut de moi, et je crois bien que c'est ce dont j'ai envie. Il relâche doucement la pression sur ma bouche, comme pour vérifier que je suis bien silencieuse, puis sur mon cou. Il respire fort. Je sens son désir dans son pantalon. Il descend les mains le long de mes bras jusqu'à atteindre les miennes, qu'il remonte au-dessus de ma tête. Sa main gauche saisit mes poignets ensemble pendant que sa main droite fait glisser doucement mon écharpe, avec laquelle il entoure mes poignets, une fois, deux fois, trois fois, avant de la nouer à un crochet de son portemanteau. Il m'a attachée. J'essaie de me libérer, je le pourrais, il n'a pas trop serré, mais je préfère jouer. Il plaque ses paumes sur mes seins à travers mon T-shirt, pendant que son pied pousse le mien pour m'écarter la jambe. Je résiste. À peine. Il est plus fort, il y arrivera de toute façon. Je me laisse faire pour l'autre pied. Il remet sa main contre ma bouche pendant que l'autre descend vers mon pantalon. Ses doigts détachent le bouton de mon jean, puis descendent la fermeture éclair. J'inspire rapidement par le nez, le désir me fait suffoquer. Il pose sa main dans cet espace entrouvert, et reste un long moment, comme pour me faire trépigner. J'ai envie de tirer sur mes bras pour me dégager, de prendre l'initiative, mais je décide de ne rien faire, d'attendre son bon vouloir. Je sens alors ses doigts passer sous l'élastique de ma culotte. Il descend, frôle mon clitoris et se positionne à l'entrée de mon sexe. Il s'arrête à nouveau. Je gémis sous sa paume, j'ai envie qu'il y entre, mais il me fait attendre. J'écarte un peu plus les jambes pour lui enjoindre de poursuivre. Cela ne suffit pas. Je le supplie du regard, et il sourit. Je sais qu'il aime ce moment. Me faire monter. Maîtriser la situation sans me laisser le choix. M'empêcher de décider. Il ne me quitte pas des yeux quand il commence à me pénétrer, millimètre après millimètre, il veut voir chaque étincelle dans mon regard, chaque murmure dans sa main, chaque encouragement à aller plus vite, plus loin.

Debout, entre ses sweats, Éric me fait l'amour. Des barrières sont tombées.

Pourquoi l'a-t-il fait ainsi ce soir ? Il avait la même attitude que le bûcheron, le même regard. Les hommes sentent-ils venir le danger comme le mâle dominant qui défend son territoire ?

Nous nous sommes laissés glisser au sol et sommes restés un moment par terre. Pas envie de bouger. L'inconfort n'est rien dans ces moments-là.

Et puis je suis rentrée chez moi pour le laisser à sa nécessaire solitude. Je ne sais toujours pas ce que nous sommes, où nous allons, comment, pourquoi. Gustave m'a mise en garde. Ne pas essayer de l'enfermer. Mais sa liberté est-elle compatible avec mes besoins ? Gustave m'a dit de ne pas attendre. Comment faire pour y parvenir ? C'est impossible. Je ne peux pas être la seule à m'adapter, à encaisser, à me sacrifier. Un couple, c'est deux entités, deux efforts, deux envies, et des ponts communs. En dehors des corps, avons-nous d'autres ponts ? Je pourrais arrêter de me poser trois mille questions ?

Une fois rentrée chez moi, j'allume ma lampe de bureau, je prends un joli papier et je lui écris tout ce que porte mon cœur.

Juste avant d'éteindre ma lampe de chevet, un peu plus tard, alors que je cherche la chaleur sous ma couette, je constate qu'au moins une de mes questions a obtenu réponse.

Il s'appelle Yann.

45

Le commun des immortels

Le temps est froid et gris en ce dimanche soir de fin novembre. Voilà une semaine que le brouillard n'a pas quitté le village et les fourneaux tournent à plein régime. Éric et Gaël sont partis marcher dans la nuit, les frontales vissées sur la tête et de grosses chaussettes de laine dans les chaussures. Il l'avait prévenu en septembre, quand ils ont démarré : « Par tous les temps », ne jamais relâcher l'effort. Sébastien est rentré chez sa mère avec le dernier train. Valentine doit préparer la classe, elle a pris du retard. Greffer une nouvelle organisation sur la précédente nécessite une adaptation qu'elle n'a pas su gérer immédiatement. Passer d'un statut de célibataire à l'accueil d'un homme dans son lit, d'un autre à sa table, d'un autre encore elle ne sait pas trop où, et d'une petite fille curieuse de tout prend forcément la place de ses anciennes activités, auxquelles il lui est difficile de renoncer. Alors elle compose, elle rattrape, elle s'impose des urgences quand elles deviennent absolues. Comme ce soir.

Anna-Nina est allée prendre une tisane chez Gustave avant le dîner pour que Valentine puisse travailler et les garçons se dépenser. Le vieil homme a fait un feu dans la cheminée, au salon, et ils se sont installés chacun dans un fauteuil pour tricoter. Il y a quelques semaines, il a appris le point mousse à la petite, qui s'est lancée dans une écharpe. Lui fait des carrés pour ses éternelles couvertures. Le feu crépite et les flammes animent des ombres dansantes dans la pièce. La lumière du vieux lampadaire du salon suffit à les éclairer. Ils peuvent passer de longs moments sans parler, elle concentrée pour ne pas se tromper, lui apaisé par le moment de calme.

C'est une étrange déclaration d'Anna-Nina qui vient rompre le silence :

– J'ai vu maman hier soir.

– Comment ça, tu as vu ta maman hier soir ?

– Elle était debout, au pied de mon lit.

– Tu as peut-être rêvé ?

– Non, non, j'avais ma petite lampe allumée, à côté du lit, je venais de poser mon livre, j'allais éteindre.

– Tu as peut-être rêvé cette scène-là aussi ?

– Je te dis que non, je me suis même pincée pour être sûre. Regarde ! dit-elle en montrant la trace rouge de ses ongles sur son avant-bras.

– Et elle t'a parlé ?

– Non. Elle était debout, au fond de la pièce, elle me regardait en souriant.

– C'est la première fois ?

– Oui. Elle est belle ma maman ! Comme sur les photos.

– Oui, j'en ai vu une dans la roulotte. Elle est très belle. Tu as eu peur ?

– Ben non, pourquoi j'aurais peur de ma maman ?

Gustave hésite à prononcer le mot, craignant de ramener trop violemment la fillette à la réalité :

– Parce qu'elle est morte, ta maman.

– Papa m'a toujours dit que les morts étaient quelque part autour de nous.

– Oui. Mais personne ne sait comment.

– Moi, je sais pour maman. Elle était debout au pied de mon lit.

– Ça a duré longtemps ?

– Non, le temps de me pincer, et elle a disparu.

– Tu en as parlé à quelqu'un d'autre ?

– Non. Pas encore.

– Garde ça pour toi. Tu veux bien que ce soit un secret entre nous ?

– Je ne dois pas le dire à papa ?

– J'ai peur qu'il s'inquiète. Ce n'est pas courant de voir les morts. Ça peut effrayer les gens.

– Parce que tout le monde ne les voit pas ?

– Loin de là. Tu veux que je te dise un autre secret ?

– Ben oui. Entre nous, les secrets, on connaît !

– Moi aussi je peux les voir. Mais je ne le dis à personne.

– Tu as vu maman ?

– Non. Jamais, mais je n'ai jamais cherché à le faire.

– Tu crois que je la reverrai ?

– Je ne sais pas, ma petite. Mais je te propose de ne pas y penser, de ne rien provoquer, de laisser venir, sans rien forcer.

– C'est grave ce qui m'arrive, tu crois ?

– Pas du tout. Mais c'est sérieux. D'après moi, c'est une chance, quand on sait se servir de ce don.

– C'est un don ?

– Oui. Tu en as plusieurs, mais celui-là, je ne m'y attendais pas. En revanche, ça peut être compliqué à gérer.

– Pourquoi ?

– Je t'expliquerai. Pour l'instant, n'y pense pas. Prends les choses comme elles viennent, et tu m'en reparles si jamais ça t'arrive à nouveau, tu veux bien ?

– D'accord. Je ne savais pas que c'était bizarre.

– Ça n'est pas bizarre, c'est beau, mais rare. Et là, c'est l'heure de te coucher. Tu viendras continuer ton écharpe un autre jour, d'accord ?

Gustave la regarde partir après qu'elle l'a embrassé juste au-dessus de sa joue mal rasée. Il a su maîtriser sa surprise devant elle, mais il est bouleversé. En revanche, il n'est pas étonné. Anna-Nina a cette lumière en plus, cette immense sensibilité, elle est comme entre deux mondes, à flotter un peu au-dessus du commun des mortels. Non, il n'est pas étonné, mais il sait que ce sera compliqué. La médiumnité est mystérieuse, elle inquiète, il faut souvent s'en cacher. Gustave n'a jamais voulu en parler à personne, du moins pas avant un long moment. Il a commencé à voir des morts quand il était petit. Vers dix ans, peut-être. Il l'aurait dit à ses parents, il se serait pris une raclée et personne n'aurait plus jamais voulu qu'il en parle. Il a eu peur parfois, très peur. Il les voyait, ou les sentait, pour certains il les entendait seulement. Et ils n'étaient pas toujours bienveillants. Il a passé trois ans à se cacher sous son oreiller, quand arrivaient les lointains, comme il les appelait. Vers l'âge de treize ans, il a entendu parler d'une vieille femme, dans le village voisin, qui donnait des nouvelles de leurs morts aux gens qui le souhaitaient. Elle ne faisait pas ça pour l'argent, ce qui, aux yeux du jeune garçon, était un gage de sérieux. Mais elle limitait les visites à deux par semaine. Au-delà, elle perdait son énergie. Il s'est rendu chez elle un jour, en cachette, pour tout lui raconter. Elle n'aurait pas été rassurante ce jour-là, à le guider pour canaliser les contacts, il serait peut-être devenu fou. Mais elle lui a appris à chasser les malveillants, à choisir les bons moments pour entrer en contact. Elle lui a dit que c'était un don, qu'il pouvait exploiter ou non. Il y aurait forcément des gens pour le traiter de cinglé, ou de charlatan, mais il pourrait aussi faire du bien en apaisant ceux dont le chagrin de ne pas savoir était trop fort.

Et puis, ce jour de 1944, il y a eu Suzanne devant la Kommandatur, cette jeune femme enceinte et torturée par les nazis pour qu'elle dénonce son mari, un résistant de la vallée. Finalement relâchée quand son Léon s'est livré, pour la sauver. Gustave passait par là, il ne pouvait pas la laisser. Il a pris soin d'elle, il l'a réconfortée, soignée, nourrie, habillée. Il a fallu la faire passer dans les Vosges en zone plus protégée et la voir accoucher, prendre soin du bébé. Il est tombé amoureux fou d'elle, mais Suzanne attendait Léon, l'espoir chevillé au corps de le voir revenir. Elle a gardé Gustave pour partager sa vie, mais elle attendait son homme. Il n'est jamais rentré. Gustave, il l'a vu, son Léon, le visage arraché au fond d'une tranchée dans un endroit qui ressemblait à ce qu'on connaissait de la Russie. Il l'a entendu, d'autres fois, pendant des années, au petit matin : « Prends bien soin de Suzanne », « Prends bien soin d'elle pour moi. »

Alors quoi ? Aller la voir, la bouche en cœur, et lui expliquer qu'il pouvait entrer en contact avec les morts depuis quelques années, et qu'il avait vu Léon ? Que celui-ci était mort, qu'il ne fallait plus l'attendre ? Bien sûr que non. Elle aurait vu dans cette annonce une façon d'évincer le marié et de prendre sa place. Elle n'aurait jamais voulu y croire et lui en aurait certainement voulu. Peut-être même que cela aurait tout gâché. Alors il a tout gardé pour lui durant toutes ces années. Quand Suzanne est morte, il n'a plus eu envie d'exploiter ses visions.

Aujourd'hui, entendre cette gamine évoquer le sujet remue tout son passé. Il ne veut pas qu'elle souffre, mais pas non plus qu'elle range ça dans un placard. Il va attendre. Voir si cela se reproduit, si cela s'accentue, si elle en souffre ou si elle est épargnée des mauvais lointains. Si cela s'installe, il en parlera à son père.

Cette petite n'a pas fini de l'étonner !

46

Une deuxième taille en moins

Éric est venu chercher sa fille à la sortie de l'école, en Fuego. C'est toujours l'attraction quand il arrive avec sa vieille voiture customisée. Anna-Nina, fière comme un paon, propose à ses copines de les raccompagner. Nous avons décidé de rester à l'école, avec Gaël, pour déplacer quelques meubles. Nous allons proposer des ateliers de bricolage, avec les parents, pour Noël, il faut un peu réorganiser les classes, les tables, ranger le matériel, trier tout ce qui a été glané dans la forêt, dans les familles. Nous aimons cette période. Elle est l'occasion d'ouvrir l'école un peu plus aux parents, de permettre à certains d'entre eux de partager une activité avec leur enfant, ce qui n'est pas toujours le cas à la maison. Et puis, tout le monde participe, tout le monde s'entraide, cela transmet aux élèves les notions de partage, de soutien, de façon bien plus efficace que si elles étaient expliquées par la théorie d'une leçon.

Gaël s'est apaisé depuis peu. Certes, il a pris sa décision à bras-le-corps, s'est investi dans des activités physiques, s'est contraint de ne manger que quand il est chez moi, a vu les premiers résultats. Mais il a dû apprendre à lutter contre les pulsions, souffrir du manque à en crier. Des sautes d'humeur venaient éclabousser son entourage. Des moments de découragement. Plusieurs fois, il a craqué, avec toute la culpabilité qui en découle. J'ai eu beau lui dire que c'était normal, il n'admettait pas l'idée de flancher. La petite mécanique qu'on avait mise en place avait son revers, il ne se sentait pas seulement coupable face à lui, mais face à nous aussi. Jusqu'à ce qu'on lui explique qu'on n'attendait rien de lui. Évidemment, ça nous rendrait heureux qu'il perde du poids, mais ça ne serait pas un échec pour nous si ce n'était pas le cas. C'était pour lui qu'on faisait ça, pas pour nous. La situation était délicate. Jongler entre un minimum de pression pour le motiver et un excès au-delà duquel il allait culpabiliser. C'est Éric, un jour, qui a remis les pendules à l'heure :

– Arrête de nous faire chier avec tes états d'âme et ta culpabilité. Il y a des hauts, il y a des bas, ce qui compte c'est l'angle moyen de la pente et l'endroit où tu vas. On s'en fiche que tu lâches parfois l'effort, du moment que tu vas où tu veux aller. Et ne t'occupe pas de nous. Tu ne nous as pas mis le couteau sous la gorge pour t'aider, alors c'est notre problème. OK ?

Et il a perdu du poids, un petit kilo par semaine, il en est à onze. Ce n'est pas rien, onze kilos. Il pourrait changer de taille de vêtements, mais il ne veut pas encore. Il est attaché à ses larges T-shirts et à ses sweats à capuche. Il dit qu'il ne peut pas tout changer en même temps. Au fond de moi, je sais qu'il a peur de reprendre. Mais peut-être est-ce mieux d'attendre. Une deuxième taille en moins, sûrement, pour vraiment voir la différence. Pour être sûr. Pour ne plus pouvoir revenir en arrière, après être allé trop loin dans la sensation de bien-être.

Il vient de déplacer les deux armoires et quelques tables, il s'est posé un instant sur les tapis de sol, au milieu des coussins dans le coin lecture. J'en profite pour faire de même.

– Ça va, toi ? demandé-je.

– Je ne sais pas.

– Ah.

– Je devrais aller bien et ça n'est pas si simple.

– Qui t'impose d'aller bien ?

– Moi ! J'ai perdu du poids, je suis bien entouré, j'ai un boulot, des gens qui m'aiment, que demander de plus ?

– Sûrement ce dont tu aurais besoin mais qui n'est pas là. Une petite femme à aimer, un corps encore plus léger, sans avoir à lutter pour ne pas manger.

– C'est ça. J'ai moins de crises d'angoisse, moins de pulsions, mais je suis fatigué d'avoir dû batailler contre moi-même. C'est long, c'est lent. Je m'en veux d'en être arrivé là, de m'être laissé aller. Je me sens faible, et je me sens seul. Pourtant, je ne le suis pas.

– C'est une mauvaise période, un passage. Je suis sûre que tu vas franchir un cap, que tu n'en es pas loin. Et ça ira beaucoup mieux après.

– Je ne veux pas que tu croies que je me plains. Je ne veux plus me plaindre, j'ai envie de changer pour ça aussi.

– Tu as le droit de ne pas aller parfaitement bien. Continue ce qui est bon. Le rock, non ?

– Oh que oui, ça me défoule, et on partage quelque

chose avec Éric. C'est un type bien. Je ne sais pas où vous en êtes, d'ailleurs.

– Moi non plus. Lui non plus probablement. Je lui ai écrit une lettre il y a quelques semaines, mais je ne lui ai pas donné.

– Et pourquoi ?

– Parce que j'ai peur.

– Vous avez peur tous les deux. Pas de la même chose, mais le résultat est le même. Vous vous observez comme deux chiens de faïence. C'est pas un peu ridicule, au bout d'un moment ?

– Sûrement que si !

– Elle dit quoi ta lettre ?

– Tout ce que j'aurais envie de vivre avec lui. Mais je lui dis aussi que je ne veux pas l'enfermer, que je veux qu'il se sente libre.

– Eh ben alors…, où est le problème ? Donne-lui cette lettre !

Peut-être devrais-je, en effet, lui faire lire où je voudrais aller, puisque je ne sais pas où j'en suis. Si Éric connaît la place qu'il a dans mon avenir, il aura peut-être envie de m'assurer qu'il m'y accompagnera, comme un garde du corps qui empêcherait le mien de s'éparpiller. Plusieurs fois, en allant chez Gaël, je me suis postée en contrebas de la route à un endroit d'où on voit la maison de Yann. Plusieurs fois je l'ai aperçu et mon cœur cognait. Je me sentais à mi-chemin entre les pulsions qui me faisaient rester là et ma raison qui m'empêchait de m'approcher. Et la raison gagnait. Décider que non. Après tout il n'a jamais essayé plus. Ni d'intensifier ses gestes dans la forêt, ni de me revoir. Je ne suis probablement rien à ses yeux, et c'est certainement mieux. Peut-être que mon attirance vient simplement de mon envie qu'il en ait pour moi. C'est tellement rassurant de savoir que l'on peut être désiré. Et si la même chose se jouait en lui ? Juste le besoin de vérifier qu'il plaît encore, après le divorce d'avec sa femme. Mais il n'y avait pas ça dans son regard. Ce n'était pas un manque d'assurance, c'était une puissante certitude. Une évidence. Et c'est ce qui me trouble.

47

Être ensemble et rester chacun

Anna-Nina est couchée, elle va bientôt sombrer. J'ai laissé Valentine à ses préparations. Je vais aller jouer un peu de guitare dans ma roulotte. Le son léger léger, juste histoire de gratter, et de sentir vibrer. Nous avons répété une heure, ce soir, avec Gaël. Nous progressons bien sur le titre des Pretenders qui commence à bien tourner. Il a mis quelques semaines à retrouver certains rythmes, certains enchaînements, mais il est complètement opérationnel désormais. Il travaille seul, parfois, son solo de batterie. Je fais pareil de mon côté, quand ils sont à l'école, quand j'ai fini d'aider Gustave.

Je n'ai toujours pas trouvé de projet pour occuper mes journées. Je n'en ai pas besoin pour vivre, mais je vais finir par m'ennuyer. Je traîne parfois dans l'atelier de Valentine, je m'amuse avec ses couteaux à bois, à sculpter, à fabriquer, avec sa terre aussi. Mais je suis informaticien de formation. Valentine m'a déjà dit de me lancer, d'ouvrir un petit magasin d'informatique. Mais j'ai encore trop besoin d'être là, au moindre souffle d'Anna-Nina. Pour le moment, je laisse venir, je me dis qu'une opportunité se présentera un jour.

Je fais une dernière caresse à Croquette, qui attend mon geste avant de monter à l'étage se coucher devant la porte de ma fille, et je traverse la cour vers ma roulotte. Une enveloppe est coincée dans le carreau de ma porte vitrée. Je reconnais l'écriture de Valentine. C'est bien une instit. À tout faire par courrier. Je décide de lire sa lettre sous ma couette. Elle date un peu. Je ne sais pas pourquoi elle ne me la donne que maintenant.

Éric,

Nous venons de faire l'amour. C'était bon, comme à chaque fois depuis que tu es arrivé dans ma vie, en juin. C'était bon, et comme à chaque fois je ne dors pas, je me pose mille questions. Je te les épargne. Je suppose que tu les imagines.

Cela fait trois mois que vous êtes revenus. Trois mois, c'est beaucoup et peu à la fois. Beaucoup en regard de votre séjour de trois semaines au printemps. Je me dis que nous avons su installer une petite stabilité dans notre communauté. Je crois que ça se passe plutôt bien. Et trois mois, c'est peu en regard d'un avenir auquel je réfléchis.

Je sais que tu as besoin de liberté, d'indépendance, de solitude, et je ne sais pas où me situer dans ton paysage. Tu sais, je fais beaucoup d'efforts depuis que j'ai consulté, quand vous êtes partis. Je me surprends encore parfois à retrouver mes instincts débiles qui me

253

poussent à remplir ma vie pour ne pas ressentir le moindre vide, ou qui me donnent envie de courir dans la direction opposée quand je sens que je suis en train de m'attacher. Mais avec toi, je crois que j'ai passé le cap de la peur. C'est trop tard. L'attachement a opéré, sans que j'aie envie de partir. Alors maintenant je lutte, pour ne pas te l'imposer, pour ne pas trop imaginer ce que serait ma vie, si tu t'attachais aussi. J'en ai pourtant envie. J'ai envie de te dire bonne nuit avant d'éteindre la lumière, de te retrouver le matin, couché à mes côtés. J'ai envie qu'on plie nos draps, quand ils ont séché, et qu'on refasse le lit ensemble, que tu suspendes mes petites culottes sur l'étendoir du jardin et que tu vérifies que personne ne te regarde faire parce qu'elles te donnent des idées. Envie de prendre un de tes pulls et de le respirer pour me charger de ton odeur. J'ai envie qu'on goûte ensemble à la première framboise du jardin. Non, la deuxième, pour laisser la première à ta fille. Envie qu'on fasse les carreaux chacun de notre côté, tu suivrais mon mouvement, ou bien moi le tien. J'ai envie qu'on aille au cinéma, ou faire les magasins, ou partir en vacances, ou juste prendre le train. De t'écouter jouer de la guitare, et de me mettre entre elle et toi, pour la sentir vibrer. De te montrer le tour, de te faire malaxer la terre, jusqu'à en faire un bol, que tu pourrais ranger sur l'étagère, à côté du mien. Envie que tu m'apprennes à respirer au présent. J'ai envie de voir ta brosse à dents, quand je me lave le soir, et ta mousse à raser dans le premier tiroir. J'ai envie de te voir lire sur le canapé, pendant que je prépare mes cours, et que tu passes ta main sur ma nuque, quand j'en ai assez, pour me dire « viens, on va se coucher ». J'ai envie d'être enceinte, et que tu poses ta main sur mon ventre arrondi, parce que tu te réjouis. J'ai envie de pleurer dans tes bras quand rien ne va, et de rire, et de partager avec toi, quand au contraire tout va. Envie que tu attaches la chaînette à mon cou, celle dont j'ai bien du mal à ouvrir le fermoir. J'ai envie que tu me regardes m'habiller le matin, quand tu es encore couché, avec le sourire envieux d'une soirée prometteuse. J'ai envie de donner la main à ta fille, et tu prendrais son autre main pour qu'on aille se promener sans un mot, juste pour respirer. J'ai envie de voyages avec toi, de bords de mer, et de raconter les nuages. J'ai envie de tes bras, sans raison apparente, juste parce qu'ils sont là. Envie de tendre mon cou pour que tu y déposes tes mains et tes lèvres, et de me laisser aller. Envie que tu me dises quand je deviens pénible, et puis que tu m'apprennes à ralentir ma vie. Envie de me poser comme tu te l'autorises, à la table du jardin, juste pour ne rien faire. Ne rien faire à deux, c'est déjà faire un peu. Envie de ton regard bienveillant sur mes peurs, envie de te faire rire, et que tu me fasses rire. Envie de te laisser ton espace juste à toi, de garder aussi le mien, mais de les mélanger parfois, comme pour se dire qu'on est ensemble mais qu'on reste chacun.

Je t'embrasse. Fort.
Merci d'être là.
Valentine.

48

Des caresses aux mains d'argile

J'ai déposé la lettre hier soir, pendant qu'il disait bonne nuit à sa fille. Et j'ai passé la soirée à me demander comment il l'avait prise. On a beau se raisonner, se dire qu'il le fallait, et que de toute façon on ne peut plus revenir en arrière, l'angoisse est quand même là, à vous remuer le ventre.

C'est mercredi matin. Anna-Nina dort encore et Gustave est déjà reparti. J'ose à peine regarder Éric quand il entre dans la cuisine pour petit-déjeuner. Mais il me sourit et s'approche de moi, dépose ses mains dans mon cou et ses lèvres m'embrassent, puis il me dit « merci ».

Nous ne dirons rien d'autre, à part quelques regards, un peu plus intenses, jusqu'à ce qu'Anna-Nina déboule avec sa joie, ses projets plein la tête et ses cheveux emmêlés.

Je n'ai aucune réponse précise, si ce n'est qu'elle est positive.

La journée est ensoleillée et la petite a prévu de conspirer avec Gustave, comme ils le font depuis des semaines.

J'ai besoin de tourner. N'importe quoi, un pot, un bol, un saladier, je ne sais pas encore, mais tourner, pour me vider la tête de cette nuit de gamberge. Je les laisse donc entre eux et je me rends à mon atelier. La porcelaine me fera sûrement du bien, j'ai besoin de douceur, mais mes émotions en vrac risquent de me faire rater. J'opte donc pour une terre à grès de tournage, sans chamotte, et la douceur quand même.

Je coupe un morceau un peu à l'instinct pour en choisir la taille, puisque je ne sais pas encore ce que j'en ferai, et je la malaxe sur mon plan de travail pour en chasser l'air. J'aime ce moment. Je me défoule dessus, comme Gaël sur sa batterie, Éric sur sa guitare, la terre est mon instrument à moi. Comme si en chassant l'air, j'y piégeais mes tensions, elles se consumeront ensuite à la cuisson. Je m'installe à mon tour après avoir préparé le matériel dont j'aurai besoin. Je jette avec force la motte le plus au centre possible, pour qu'elle adhère parfaitement et qu'elle tienne face à la force centrifuge que je vais lui appliquer. Vitesse maximale, il s'agit de la centrer. J'ai mis onze mois à y arriver. Onze mois ! Je les ai comptés. Pas tous les jours mais presque. Le centrage est indispensable sinon la pièce fout le camp. J'en ai vu des boules d'argile partir à l'autre bout de l'atelier, mais j'ai persévéré, et un jour mon corps a senti ce qu'étaient les bons gestes. J'ai compris aussi qu'en centrant ma pièce, c'est moi que je centrais en même temps. Et plus j'arrivais éparpillée dans mon atelier, plus je mettais de temps à ne plus sentir qu'un mouvement lisse sous ma main, aucune vague même infime, comme mes pensées apaisées de m'être concentrée.

Aujourd'hui, c'est long, mais j'y arrive enfin. Je mouille régulièrement le morceau de terre qui attend son destin.

C'est quand je commence à creuser avec mon pouce que la porte s'ouvre. Éric passe la tête sans dire un mot. Je lui dis « Viens », simplement. Il s'assoit sur le tabouret en face de moi et me regarde faire. J'ai envie de tourner avec lui. « Tu veux ? » Il s'installe derrière moi et m'entoure de ses jambes. Je sens ses bras passer sous les miens. Il est un peu plus grand, il voit au-dessus de mon épaule. Je prends son pouce et je l'aide à appuyer pour percer la motte, j'avance à petits pas pour ne pas la rater, puis je lui montre comment mettre ses doigts pour ouvrir la pièce, je trempe régulièrement ma main dans l'eau pour humidifier l'ensemble. Vient le moment de monter la terre. Je ralentis la vitesse, je plonge ma main à l'intérieur et je lui propose de mettre la sienne en face. Les presser l'un contre l'autre et monter ensemble pour façonner une œuvre commune est un acte d'une extrême sensualité que je n'ai jamais eu la chance de vivre jusque-là. Un demi-centimètre de grès nous sépare. Son torse repose sur mon dos et je l'entends respirer dans mon cou. J'essaie de rester concentrée, mais je repense à la lettre, à mes envies, à son sourire de ce matin, lui aussi probablement, car au moment où je fais une nouvelle fois ruisseler de l'eau sur notre création, sa main appuie trop fort, la mienne ne peut pas compenser, et notre semblant de bol s'envole dans un tourbillon incontrôlable, nous aspergeant au passage de barbotine. Nous éclatons de rire. Je lui explique que l'art du tour peut se résumer en deux mots : force tranquille.

– Je ne suis pas tranquille, me répond-il en dénouant mon tablier et en passant ses mains sous mon T-shirt pour les poser, collantes de terre, sur mes seins.

Je pose les miennes sur ses cheveux. Nous ne ressemblerons à rien en sortant de l'atelier, mais nous répondons probablement ici à quelques-unes de mes questions.

– Arrête de te tracasser, me murmure-t-il, moi aussi je suis attaché, j'ai juste besoin de temps. Surtout pour un bébé, ajoute-t-il en passant ses mains sur mon ventre. La naissance est encore trop proche de la mort, pour moi. Je ne veux pas de cette peur-là.

Je le comprends, il restera toujours cette crainte de l'accouchement, même bien entourés, même avec les meilleurs médecins. La peur de l'insupportable deal. Une mort pour une vie. Je ne veux pas lui infliger cela. Pas tant qu'il n'est pas prêt. Le sera-t-il un jour ? Le temps peut-il suffire à lui seul à gommer les traumatismes de cette ampleur ?

L'argile sur ses mains a séché et ses caresses sont devenues rêches. Une autre forme de plaisir. J'aurai la peau toute douce après ma douche.

49

Soldes de secrets

Le temps est froid et sec. De ces journées d'automne qui s'en vont vers l'hiver. La gelée du matin s'est transformée en perles de rosée piégées dans les toiles d'araignées exposées au soleil et certains coins ombragés ne se débarrasseront pas de leur couche glacée. Gustave et Anna-Nina se sont emmitouflés, même si le vieil homme ne varie pas beaucoup sa tenue à l'année. Il a ajouté un pull de laine, sa vieille casquette épaisse et une écharpe tricotée. La fillette a mis un bonnet, des gants et sa doudoune un peu abîmée. Il ne s'agit pas de sortir en grande pompe pour aller bricoler.

– Je l'ai revue, tu sais ?

– Ta maman ?

– Oui. Au bout de mon lit, de nouveau.

– Elle ne t'a rien dit ?

– Non. Par contre son regard était doux. Je me suis sentie bien. Mais elle n'est pas restée.

– C'est peut-être pour te dire qu'elle est bien là où elle est. Que tu peux être rassurée.

– Je n'étais pas inquiète. Mais pourquoi elle ne vient que maintenant ? Ça fait sept ans qu'elle est morte.

– Tu sais, petite, tout cela est très mystérieux, et je pense qu'il ne faut pas forcément chercher à comprendre. Juste accueillir ce qui arrive, au moment où ça arrive. Je crois que les gens disparus ne nous apparaissent que quand leur âme est apaisée et libre. Peut-être que celle de ta maman était coincée dans le chagrin de ton papa. Il a pu lui dire au revoir, vraiment, il y a quelques mois en allant au Donon, non ?

– Oui.

– Alors ça l'a peut-être décoincée, et maintenant, elle peut se promener.

– Alors il a bien fait, papa !

– De toute façon. Au moins pour lui, et pour toi. Comment ça va, l'école ?

– Ça va. Des fois, c'est pas facile, parce qu'on se sent jugé quand on rate quelque chose. Les autres se moquent. Comme toujours.

– Tu te souviens de ce que je t'ai dit ? Il n'y a rien d'autre qui compte que ton propre avis et celui des gens qui t'aiment. Le reste, tu t'en fiches !

– Mais j'ai l'impression d'apprendre plus avec toi que là-bas

– Tss tss tss ! L'école est nécessaire. Tu as beau apprendre la vie autrement, il faut connaître tes tables, savoir conjuguer, apprendre à tracer à la règle et écrire proprement. Dessiner, chanter, réciter des poèmes. Et les départements. Et les pays du monde. Et l'histoire, aussi. L'histoire c'est important. Même si tu penses que ça ne sert à rien, ça sert toujours à quelque chose. Et puis, apprendre à vivre avec les autres dans un groupe, à s'organiser. Le respect, l'entraide. Tout ça est nécessaire.

– Oui, mais y en a qui n'aident personne, et ils se moquent, et ils te cassent ton bricolage, ils te prennent le ballon des mains.

– On ne peut rien contre ça. Juste se protéger. Tu aurais envie de changer le monde, hein ? Rendre les gens meilleurs, et faire que tout soit juste.

– Oui.

– Mais tu ne le peux pas. Pas le monde en entier. Ça ne marche que par petits morceaux. Juste autour de toi. Là, tu peux faire du bien. Même à l'échelle de ta classe, tu ne peux pas agir totalement. Tu peux juste faire ta part. Ne pas prendre le ballon des mains, aider les autres, dire non si on te fait du mal, demander de l'aide pour te défendre si dire non ne suffit pas. Mais c'est tout. Pour le reste, il faut accepter, sans être trop touchée, parce qu'il y aura toujours des gens bêtes, des irrespectueux, des méchants, des chacun-pour-soi.

– C'est pour ça que papa voulait sortir du monde ?

– Je crois qu'il avait juste besoin de se protéger. Et de te protéger. Loin du bruit. Mais maintenant ça va mieux. Il a retrouvé la force de tout affronter. Bon, il y a aussi la question de ta maman qui vient te chatouiller les orteils. Il faudra quand même qu'on lui en parle à ton père, non ?

– Si tu penses que c'est mieux.

– Et de la cabane aussi, peut-être.

– C'est les soldes dans nos secrets, dis donc !

– Pas grave, on en fabriquera d'autres ! Vous restez là pour Noël ?

– Oui. Papa veut le passer ici.

– Alors, je te propose qu'on attende la veillée pour leur annoncer tout ça, qu'en penses-tu ?

– On aura fini le dernier palier d'ici là ?

– J'espère bien ! Ils prévoient un beau week-end, ton ami Sébastien pourra sûrement nous aider. En attendant, au boulot !

50

Et je le trouverai

C'est mon anniversaire aujourd'hui, 20 juin 1954. Vingt ans, ce n'est pas rien, surtout quand on a survécu à la guerre. Papa est mort la semaine dernière. Je ne sais pas si je suis triste. Sûrement un peu, il était mon père. Mais il a fait tellement de mauvaises choses, et puis, il n'était pas tendre avec nous. Germaine, du haut de ses quinze ans, a dit à maman ce matin qu'elle ne le regretterait pas. Elle lui en veut depuis l'année dernière de ne nous avoir rien dit pour Gustave. Nous voulions savoir, elle et moi, s'il était vivant, s'il allait revenir. On l'aime, c'est notre frère. À chaque fois qu'on lui en parlait, notre père changeait de sujet. Mais un jour, nous avons insisté et nous lui avons dit qu'il nous devait la vérité. Il a répondu : « Faites comme s'il était mort. » Et il n'en a plus jamais parlé. Maintenant, c'est lui qui est mort, et moi, je sais tout au fond de moi que Gustave est vivant. Je ne sais pas où. Peut-être dans les Vosges ? Maman ne nous dit rien non plus, mais peut-être ne sait-elle pas. Elle ne s'est jamais faite à cette nouvelle vie dans les Charentes. L'Alsace lui manque. Nous sommes partis en laissant tout derrière nous, papa aurait été dénoncé et arrêté quand la France a gagné. Il n'était pas vraiment collabo, mais il n'a rien fait pour sauver des Français. Et il s'est fait de l'argent sur le dos des juifs. Maman avait sûrement honte, mais que pouvait-elle faire ? J'ai appris à être coiffeuse. Je vis encore avec ma mère et ma petite sœur, mais bientôt j'aurai une maison, et un jour, j'ouvrirai mon salon. Je suis bien ici, c'est une belle région.

J'ai juste besoin de retrouver Gustave. Je sais qu'il sera heureux d'avoir de mes nouvelles. Il nous aimait. Bien plus que papa. Papa n'aimait personne, de toute façon.

Alors je vais chercher, et je le trouverai.

51

Comme de la poudre d'or

Le premier trimestre est passé à la vitesse d'un TGV. Je me lassais quand j'étais petite d'entendre mes parents se lamenter du temps qui passait trop vite. Moi je ne trouvais pas, au contraire, souvent je m'ennuyais. Et aujourd'hui, je suis la première à râler que la journée soit déjà finie. À me demander si le temps ne s'est pas mis à accélérer, au fur et à mesure que je vieillissais. Mais non, tout est question de perception.

Ce soir, nous fêtons le réveillon de Noël à la maison. Éric n'a pas voulu rentrer chez ses parents. Il a prétexté qu'il ne voulait pas trop bouger après toutes ces années d'errance, mais je crois, du moins j'espère, que c'est pour passer Noël avec nous. Anna-Nina avait proposé à Sébastien de rester quelques jours, mais sa maman voulait qu'ils passent Noël tous ensemble. Normal. D'autant qu'ils sont partis dans la famille de son beau-père, quelques jours en Bourgogne.

Mes parents passeront demain, à midi et le soir, chacun de leur côté. Quant à Gaël, comme tous les ans, il ira voir les siens le 25 pour un repas festif. Cette année, sa mère a l'interdiction de faire trois entrées, deux plats et quatre desserts. Y arrivera-t-elle ? Gaël en tous les cas saura résister. Il a franchi un cap depuis environ deux semaines. Ses pulsions ont disparu, il n'est plus attiré par le sucré, il a diminué ses portions sans s'angoisser, et le sport commence à vraiment faire effet. Il m'a avoué que Socquette l'aide beaucoup. C'est une machine de paix. En dehors de quelques moments où elle est surexcitée, elle passe sa vie à se pelotonner contre lui et à ronronner, posée sur son plexus solaire, pile à l'endroit du nœud d'émotions à dissiper. Massage par les ondes félines. Ils sont devenus inséparables. Dès qu'il franchit la porte, elle se faufile entre ses jambes jusqu'à ce qu'il la prenne pour la câliner.

Enfin, une dernière invitée et non des moindres sera présente ce soir de Noël : la neige. Elle a commencé à tomber hier matin, sans discontinuer. Comme le sol était froid, elle a pu s'accrocher. Anna-Nina a mesuré à midi en plantant un double décimètre dedans, il y a douze centimètres. De quoi passer un Noël comme dans les contes.

Gaël est venu m'aider ce matin. Il s'en veut un peu de s'être ajouté à la tablée depuis un trimestre, m'obligeant à cuisiner pour cinq. Ça ne me pèse pas. Il faut dire que je puise beaucoup dans les réserves de bocaux. Je fais des plats simples, la diététique est pratique pour ça. Pas de sauces, ni trop de viande à cuire.

Mais ce soir, c'est jour de fête. Nous ferons une dinde, que nous sommes allés chercher chez Odette, et nous l'accompagnerons de légumes et de totches. Nous irons faire de la luge demain pour brûler tout ça. Gaël doit aussi réapprendre à se faire plaisir avec la nourriture et à ne pas la voir comme une ennemie.

Anna-Nina a passé une partie de la journée dans sa chambre, sortant seulement pour aller chercher un flot, du papier d'emballage, du Scotch et quelques étiquettes. Nous n'avons pas prévu de grandes choses, juste passer du temps ensemble et nous bricoler des surprises, de celles qui viennent du cœur.

La nuit est déjà tombée, il est à peine dix-sept heures. Je termine quelques préparatifs culinaires pendant qu'Anna-Nina et son père préparent une jolie table. Depuis ma lettre et le tour dans la glaise, je nous sens plus complices. Il reste solitaire, indépendant, discret, mais il me manifeste plus d'affection et de tendresse, comme s'il avait moins peur de s'engager.

Ils ont fabriqué des petits bougeoirs en terre, un jour dans l'atelier, recouverts d'émail rouge, vert, bleu roi et doré. Les bougies chauffe-plats sont insérées, prêtes à être allumées quand nous serons à table. Gaël doit venir tôt, avec de bonnes chaussures. La consigne émane de nos cachottiers qui ont des choses à nous révéler. Gustave a déjà posé ses cadeaux au pied du sapin et s'est installé dans le vieux rocking-chair de Suzanne, dans le coin du salon. Il se balance en nous regardant faire, le visage épanoui d'un sourire.

Gaël frappe à la porte et entre après avoir pris soin de cogner ses chaussures pleines de neige contre les marches de l'escalier. Il s'en défait et ôte sa veste qu'il accroche au portemanteau de l'entrée. Puis il se tourne vers nous. C'est Éric qui pouffe en premier.

– Tu as traversé un ventilateur ? lui demande-t-il.

– Ha ! ha ! ha ! Rappelez-moi qui m'a offert un chat il y a deux mois ?

– Mais pourquoi elle t'a fait ça ?

– Elle a joué avec du Scotch dans un carton que je déballais du déménagement. À force, des morceaux sont restés collés sous ses coussinets. J'ai dû la maintenir pour les couper, elle n'a pas aimé. Elle s'est débattue.

Gustave se lève et nous enjoint de nous préparer pour un petit tour dans la neige.

– Vous auriez pu me le dire avant, je viens de me déshabiller ! peste Gaël.

Quelques instants plus tard, nous sommes tous emmitouflés, équipés d'une frontale ou d'une lampe torche, pour avancer dans la nuit. Le chemin est glissant, d'avoir été tassé par quelques voitures de passage. Il n'y a pas un bruit autour de nous. Tout est étouffé par la neige. Seul le craquement de nos pas vient rompre le silence. Car nous osons à peine parler. Anna-Nina et Gustave ouvrent la marche en se tenant la main. Ils sont tout excités, probablement fiers de ce qu'ils vont nous montrer. Nous nous engageons sur le chemin plat, mais au bout de trente mètres environ, la petite nous annonce qu'il va falloir descendre dans le pré. La neige a recouvert toutes les bosses, tous les creux, et nous progressons lentement pour ne pas trébucher. Je commence à comprendre que le grand arbre sera notre destination. Les planches, les poulies, tout ce matériel qu'ils ont trimbalé, je sais où il est désormais.

Quand nous arrivons au pied du tilleul, Anna-Nina lève les bras vers le sommet avec un «tadaaaaaaaaa» enthousiaste. Éric dispose d'une lumière plus puissante que les nôtres, il la braque vers le haut et nous voyons apparaître quelques planchers entre les branches, à différentes hauteurs.

– On n'a pas encore fini, mais maintenant, il faut qu'on attende le printemps. Elle monte jusque tout en haut. Sur le dernier palier, nous avons prévu des murs et un toit. Une vraie cabane, quoi !

Le travail est colossal et le résultat incroyable. Gustave affiche un sourire satisfait. Un vieux rêve de gamin, sûrement. Anna-Nina voudrait y grimper, mais avec la neige, la démarche n'est pas prudente.

– On reviendra de jour, lui promet son père, quand il fera meilleur, et tu nous montreras, d'accord ?

La fillette acquiesce et je propose, transie de froid, de rentrer bien au chaud pour fêter ce secret levé.

Nous buvons un vin chaud en guise d'apéritif, le temps de déballer les cadeaux. Anna-Nina a tenu à commencer. Elle a fabriqué des objets de bois, de terre, de papier. Un petit crochet pour la cuisine de la roulotte, un cadre pour mon salon. Elle a décoré une vieille caisse en bois, que son père a trouvée en rangeant la cave, pour les pelotes de laine de Gustave. Pour Gaël, elle a fait un joli cahier avec du papier recyclé et des découpages. «Tu pourras y écrire tous les progrès que tu fais, et toutes les choses positives. J'ai mis tous les kilos que tu as perdus sur la première page. » Elle a même fabriqué un jouet pour Socquette au bout d'un élastique. Gustave a fait une couverture pour Éric en patchwork de tricot. Ça ira bien dans la roulotte. Il m'a fabriqué une étagère supplémentaire pour mettre mes pièces de poterie à sécher. Pour la petite, il a construit une maison de poupée. Elle est ébahie, il a même installé l'électricité et des loupiotes pour éclairer chaque pièce. Enfin, pour Gaël, il a tricoté une écharpe. « À Solbach, la vie est rude, il te faudra bien ça ! » Ce dernier a prévu des livres pour chacun, il offre toujours ça. De permaculture pour Gustave, de rock pour Éric, d'astronomie pour Anna-Nina, et pour moi, un livre de méditation. Ha ! ha !

Éric m'a offert un émail rare, une couleur magnifique, avec des reflets dorés. Et un livre sur le kintsugi. En japonais, certes, mais suffisamment illustré pour en comprendre le principe. Il m'a mis un petit mot en dédicace : « Cet art japonais de réparation des céramiques brisées à partir de poudre d'or pour leur donner une seconde vie m'est apparu hautement symbolique te concernant. D'abord parce que tu fais de la céramique, ensuite parce que tu as été cette poudre d'or quand je suis arrivé en juin, fendu de partout. Tu as su me réparer. Merci pour ça. Pour tout. »

Évidemment, j'ai pleuré !

Gaël a reçu de sa part une tenue de sport à sa nouvelle taille, petit clin d'œil au programme qu'il lui a concocté maintenant qu'il s'est habitué à bouger. Pour sa fille, un appareil photo dont elle rêvait depuis longtemps. Il a considéré qu'elle était prête désormais. Et enfin, pour Gustave, un outil de jardin flambant neuf pour aérer la terre sans se briser le dos.

Pour ma part, j'ai fait quelques poteries pour le quotidien. Un bol, une tasse, une assiette, et pour Anna-Nina, un petit récipient à couvercle pour y ranger ses trésors.

Nous nous embrassons, c'est doux, c'est simple, le village est calme sous la neige, seulement quelques lumières orange autour des lampadaires. Nous sommes au chaud devant le poêle à bois. La vie est belle.

— Bon, commence Gustave, avec la p'tite, on a un autre secret. Je ne sais pas trop comment vous le dire, c'est un peu délicat.

— Il suffit de dire que j'ai vu maman ! s'exclame-t-elle en le regardant.

Gustave nous observe, penaud, guettant notre réaction.

— Comment ça, tu as vu maman ? s'étonne son père.

— Éric, je crois que ta fille est dotée de capacités un peu… paranormales, comme on dit. Elle a vu plusieurs fois sa maman debout au bout de son lit.

— Elle a sûrement rêvé.

— Non, papa, j'ai pas rêvé, je me suis même pincée. Demande à Gustave, je lui ai montré la marque sur ma peau la première fois.

— Tu es sûr, Gustave ? C'est un problème sérieux ! dis-je, inquiète.

— Ce n'est pas un problème. C'est un don. Il faut que je vous dise. Je sais ce que c'est. Moi aussi, j'ai cette capacité. Je ne l'ai jamais utilisée, j'ai eu peur au début. Mais je regrette aujourd'hui. J'aurais pu aider les gens.

— Mais qu'est-ce que tu racontes, Gustave ? intervient Gaël. Ça n'existe pas ces choses-là.

— Je pense qu'il faut croire ce qu'elle dit, et se renseigner. Je sais que c'est un sujet tabou, ça fait peur, la mort, mais laissez-lui une chance d'être qui elle est. Je sais ce qu'elle vit.

– Mais pourquoi tu ne me l'as jamais dit ? C'est depuis longtemps ?

– Depuis que je suis petit, vers dix ans.

– Suzanne savait ?

– Surtout pas.

– Pourquoi ?

– Elle m'aurait demandé pour Léon.

– Tu savais quelque chose pour lui ?

– Oui.

– Qu'il était mort ?

J'ai les larmes aux yeux d'évoquer ce pan douloureux de l'histoire de ma grand-mère. Un ange passe. Anna-Nina a pris son pouce et triture le bas de son pull. Éric la regarde avec douceur mais je le sens soucieux. Gaël et moi observons Gustave réfléchir à sa réponse, les yeux fermés.

– Je ne pouvais pas le lui dire. Elle ne m'aurait pas cru, ou alors elle aurait imaginé que j'inventais tout ça pour qu'elle l'oublie pour moi. Mais c'est de l'histoire ancienne. Par contre, la petite, c'est là, maintenant.

– Mais on peut empêcher ça ? demande Éric.

– On peut canaliser, si c'est trop important. Pour l'instant, elle n'a vu que sa maman, le phénomène va peut-être s'arrêter là. Ou pas. Nous voulions vous le dire, parce qu'elle ne veut pas garder le secret.

– Je fais pas exprès, papa, tu sais ?

– Je sais, ma puce. C'est juste que ce n'est pas

habituel, alors il faut nous laisser le temps de comprendre, d'accord ? Tu m'en parles quand ça arrive, tu veux bien ?

– Elle était jolie maman.

– Oui, ma chérie, elle était jolie ta maman.

Nous poursuivons le repas en parlant d'autre chose. Je regarde Anna-Nina de temps en temps, du coin de l'œil, elle est joyeuse, spontanée, et parfois plus lointaine. Sa sensibilité exacerbée lui offre des moments exceptionnels, elle vit chaque instant à deux cents pour cent, mais je ne peux m'empêcher d'imaginer les peines, comme elles doivent être vives, ou comme elles le seront, quand elles se présenteront puisqu'il y en aura forcément. Ce que nous a annoncé Gustave est compliqué. La mort fait peur. Je ne sais pas quoi croire, et pour Éric, cela doit être encore plus difficile, il s'agit de sa femme. Et il s'agit aussi de sa fille, elle n'a rien inventé. Il ne peut pas nier ce qu'elle raconte, balayer ça d'un revers de main sous prétexte qu'il n'y croit pas. Personne ne sait. Ce ne sont que des suppositions. Mais je me souviens que Suzanne en avait parlé à maman il y a longtemps. Elle voulait savoir, elle ne supportait plus de n'avoir aucune nouvelle de son mari. C'était des années après la fin de la guerre. C'est qu'elle pensait que cela existait. Je n'ai jamais su si elle s'était finalement rendue chez ce médium dont elle avait entendu parler, à Strasbourg. En tout cas, la petite ne semble pas perturbée par ces apparitions, et c'est le principal. Gustave l'est presque plus. Forcément, s'il en est capable aussi, il sait ce qu'elle peut vivre.

Nous changeons complètement de sujet juste avant le dessert. Cette fois, c'est Éric et Gaël qui nous convient à leur surprise. Nous longeons la maison sans même nous habiller, jusqu'à la cave aménagée. Elle est un peu chauffée à cause des instruments. Ils nous tendent des bouchons d'oreilles et s'installent. Éric a ajusté son micro, il fait signe à Gaël, qui lance son intro de batterie et le morceau démarre. The Pretenders, « Middle of the Road ». C'est la première fois que j'entends Éric jouer de la guitare et chanter. Il a les yeux fermés, concentré, à fond dans ce qu'il fait. Moi j'ai quatorze ans, et le frisson de la gamine qui admire.

Gaël nous regarde en cognant sur ses toms. Il est heureux.

Le dessert est savoureux, parce que le moment l'est. Nous faisons ensuite quelques jeux, avant de nous coucher. Demain sera ensoleillé, les luges sont aiguisées.

Je me demande si le père de Sébastien est seul en ce soir de Noël…

52

Sur la toute petite luge

Je n'ai pas beaucoup dormi. La veillée de Noël était riche en émotions. J'ai demandé à Anna-Nina si elle voulait bien dormir avec moi dans la roulotte, au moins pour cette nuit-là. J'ai parfois besoin de retrouver mes repères d'avant. Elle était d'accord, évidemment. Elle est encore dans son sommeil et je l'entends respirer dans son lit, juste au-dessus de moi. Je me suis repassé la soirée, la visite de la cabane, le bonheur de ma fille, celui de Gustave d'avoir fabriqué tout cela avec elle, les jolis cadeaux échangés, la douceur du moment, le morceau de rock, début d'une longue liste j'espère. Et puis j'ai tourné dans tous les sens cette histoire de visions. Je ne m'étais jamais posé la question jusque-là. De savoir où vont les morts, la croyance appartient à chacun, mais qu'ils fassent des incursions dans la réalité, en particulier dans celle de ma fille, me remue les tripes. Certes, sa maman, mais morte quand même. Et je suppose que je n'y peux rien. Le phénomène doit exister. Mais je ne veux surtout pas qu'elle en souffre, ou que ça la rende dingue. C'est tellement troublant de se dire que les morts peuvent revenir à travers des vivants. Je crois que je l'envie. J'aurais aimé revoir Hélène. Son sourire apaisé, comme elle le décrivait hier soir. Gustave suppose que le fait que je l'aie laissée partir a pu changer les choses. Que les âmes ne doivent pas être retenues, qu'elles errent entre deux mondes tant qu'elles sentent que ceux qui restent ne s'en sortent pas.

Alors, c'est peut-être moi qui ai provoqué tout ça ?

Je vais lire, me renseigner, peut-être aller voir un médium reconnu comme sérieux pour en parler, voir surtout si cela se reproduit. Et prendre soin de ma fille. Je l'entends s'étirer, prendre son pouce. Elle le suce encore, doudou inusable.

Je me lève et je la câline. Nous avons prévu de faire de la luge tous ensemble ce matin, avant que Gaël parte chez ses parents et que ceux de Valentine arrivent. J'ouvre le volet de la roulotte et je vois scintiller le soleil sur la neige. C'est une journée rêvée.

Anna-Nina se lève instantanément. Elle veut en profiter.

Nous rejoignons tout le monde au petit déjeuner. Gaël est déjà là, bien décidé à aller dépenser le repas de la veille. Gustave sort sa grosse luge en bois articulée, une dirigeable qui doit être presque aussi vieille que lui. Valentine tend à Gaël une autre luge en bois toute simple, et je tire derrière moi Anna-Nina qui a pris place dans un gros bob en plastique. Nous montons d'un bon pas jusqu'à atteindre le col de la Perheux, son arbre, son banc de bois. Gaël peine encore à suivre. Avec encore dix kilos en moins, ce sera lui devant. Nous grimpons tous sur le mont Saint-Jean. L'endroit est magnifique sous la neige. Nous apercevons le Donon couvert d'un manteau blanc. C'est

Gustave qui s'élance le premier, couché à plat ventre sur sa grande luge, pour la tester, la roder, vérifier qu'elle fonctionnera bien une fois les filles dessus. Valentine et Anna-Nina s'emboîtent dans le bob en plastique. Je fais signe à Gaël de prendre la luge en bois, mais il décline :

– Laisse-moi souffler, je prendrai le prochain train !

Les filles rient aux éclats juste avant de se renverser sur le côté. Je les dépasse à toute allure et je rejoins Gustave, qui se relève péniblement en frottant la neige sur ses genoux. Nous remontons doucement. Je prends la mesure de son âge, alors que son envie de s'amuser n'a que vingt ans. Que dis-je, huit ! Anna-Nina me crie de loin qu'elle fait la prochaine descente avec moi.

Gustave s'est assis, les pieds sur la partie avant qui s'articule, et Valentine s'est installée derrière lui. Je prends ma fille entre mes jambes. Nous ferons la course. Restent Gaël et la petite luge en bois.

– Vous êtes sûrs ? nous dit-il, circonspect.

– Le premier en baaaaaas ! crie Anna-Nina en me frappant la cuisse comme on s'en prend à la croupe d'un cheval.

La lutte est rude. La dirigeable de Gustave avance vite, et ils sont plus lourds que nous, mais j'ai pris le chemin tassé par des promeneurs et nous les dépassons pour arriver en tête en bas de la pente. Nous nous retournons et voyons Gaël, immense et large, sur la toute petite luge. Il avance lentement, mais il avance, un peu penaud, mais finalement joyeux.

– Ça sert à rien de s'énerver, nous dit-il en arrivant à notre hauteur.

La matinée est délicieuse. Nous avons enlevé nos bonnets, nos écharpes, et ouvert nos manteaux tant il fait beau, et tant nous avons chaud de remonter à pied la pente. Nous reviendrons demain, si le temps le permet. Cet après-midi, nous irons à Strasbourg, Anna-Nina et moi, déguster une pomme d'amour et quelques gâteaux de Noël. Notre petite fête à nous.

Pour la toute première fois depuis que nous sommes revenus, je ressens un instant la douce certitude d'avoir fait le bon choix.

53

Un élastique entre eux

Mon père est reparti. Cela s'est bien passé. Il a croisé ma mère l'après-midi. Il devait venir pour le goûter, elle est un peu restée. Ils ne sont pas fâchés, juste indifférents, mais cependant courtois. La veillée d'hier soir m'a délicatement réconciliée avec Noël. Ce n'était pas vraiment une fête dans notre famille. Ma grand-mère a passé sa vie à attendre Léon. Il n'a plus jamais été là pour y participer. Quant au divorce de mes parents, il a définitivement relégué Noël au rang de fête ratée. Mais hier soir. Hier soir, il y avait une unité. Cette impression de s'être choisis. Une famille fabriquée, pleine de pièces rapportées, mais finalement un puzzle qui semble fonctionner. Il manquait presque Sébastien, qui, au fil des week-ends, s'est fondu dans notre paysage.

C'est pour me parler de lui qu'Anna-Nina s'installe un peu plus tard à la table de la cuisine après leur retour du marché de Noël, pendant que je prépare de quoi grignoter quelques petites choses légères.

– Tu peux me donner ton avis ? demande-t-elle avec une légère retenue.

– Gaël serait là, il te dirait : «Pas de problème, Valentine a un avis sur tout!»

– Oui, mais là, c'est un peu personnel.

– Dis-moi!

– Voilà, j'ai écrit une lettre pour Sébastien, parce qu'il me manque un peu, et je voudrais que tu la lises pour me dire si c'est bien.

– Tu es sûre? Ça t'appartient, non?

– Oui, mais je ne sais pas si c'est bien. Et puis, je n'ai rien à te cacher.

Elle me tend la lettre et file se réfugier dans le canapé, contre les chats qui en profitent pour ronronner.

Je la lis attentivement, puis je la replie, l'insère dans son enveloppe, et je vais la rejoindre.

– Elle est très belle ta lettre, je suis sûre qu'elle lui fera plaisir. Tu as peur de quoi?

– Qu'il ne pense pas comme moi.

– Ça change quelque chose à ce que tu penses toi, qu'il ne pense pas comme toi?

– Non.

– Bon alors. Sois spontanée. Le connaissant un peu, il y sera sensible. Tu me diras?

– Évidemment! Merci maman!

Puis elle file dans sa chambre, laissant les chats hagards d'avoir été subitement abandonnés.

Je prends le relais des caresses. Elle m'a appelée maman. Je peux bien ronronner avec eux.

Salut Sébastien,

Comment tu vas ? Ici ça va. Il a neigé. Et hier soir, avant le repas de Noël, nous sommes partis marcher dans la neige pour montrer la cabane à tout le monde. Il faisait nuit, c'était chouette. Maintenant, ils savent, on n'a plus besoin de garder le secret. Mais si tu veux qu'on ait d'autres secrets, je suis d'accord. J'aime bien les secrets. Surtout avec toi.

J'espère que tes vacances se passent bien avec ton beau-père. Des fois, j'aimerais être une fée avec une baguette magique et changer les gens pour qu'ils soient plus sympas. Mais Gustave m'a dit qu'on ne pouvait pas changer le monde. Juste faire des choses gentilles autour de soi.

C'est dommage, tu aurais été là, on aurait pu faire un gros bonhomme de neige au pied de notre arbre. On aurait fait une boule sur le chemin, on l'aurait lâchée dans le pré et elle serait arrivée énorme en bas. Mais t'es pas là. J'irai peut-être avec mon papa. Et j'espère qu'il y aura encore de la neige quand tu reviendras.

J'aime bien quand tu viens. Je me sens moins seule et on peut jouer. Je t'ai fabriqué une surprise pour Noël, mais je te dis pas quoi, sinon c'est plus une surprise. Je te laisse mon adresse, pour si tu as envie de me répondre.

Ça me ferait plaisir d'avoir de tes nouvelles.

Bisous,
Anna-Nina

P-S : Je me demande s'il n'y a pas un élastique entre nous.

54

Le chant des poteries

Je pensais être en voie de guérison. Avec l'hiver, chacun se terre au chaud et j'ai cessé de guetter de loin le père de Sébastien, de tendre l'oreille pour entendre les bruits de la forêt, qui ont de toute façon disparu, d'imaginer quoi que ce soit avec lui. Sans réussir à oublier ce qui s'est passé, j'ai classé cette rencontre folle au rang des souvenirs anciens dont je ne dois plus m'encombrer. La fin d'année a été délicieuse, et la nouvelle est déjà bien entamée. Éric a changé après avoir lu ma lettre, et la soirée de Noël m'a permis de prendre conscience à quel point ce que nous formons constitue un ensemble harmonieux. Nous sommes mercredi après-midi. Éric est parti au cinéma avec sa fille, Gustave doit lire au chaud et Gaël répète à la batterie. C'est au rythme étouffé de son instrument qui provient de la cave que j'ouvre la boîte aux lettres.

Un relevé bancaire, une publicité, et une petite enveloppe non timbrée qui a gondolé avec l'humidité. Elle doit être là depuis le matin. Il n'est écrit que mon prénom. Je l'ouvre en la déchirant :

Ce soir, à mon atelier, 21 heures,
Yann

Des larmes me viennent, en même temps que la brûlure au fond du ventre, le souvenir de ses yeux à dix centimètres de moi et de sa main rugueuse. Je sens déjà sa force qui m'attire. Je n'irai pas, je ne peux pas. Je succomberais, j'en suis certaine. Depuis des mois j'y pense, depuis des mois je lutte et je me bats contre mes propres incompréhensions. Ma sensation de guérison n'est qu'illusion. Je ne veux pas ficher en l'air notre ensemble harmonieux pour un désir furtif.

Je me dirige d'un pas rapide vers la cave où joue Gaël. Je vais tout lui raconter, la première rencontre, le regard, la deuxième fois, tous les moments où j'ai pensé à cet homme, où je me suis arrêtée dans l'espoir ne serait-ce que de le voir de loin. Je vais lui dire mon ambivalence, ma culpabilité, cet envoûtement qui m'empêche de réfléchir, ce désir qui brûle sans que je puisse me l'expliquer, ce courant qui est passé instantanément. Cette force qui m'a envahie et que je recherche depuis. Tout lui dire, pour qu'il me réponde d'arrêter tout ça, pour qu'il me retienne ce soir, physiquement s'il le faut, dans la cave, au chaud, sous le bruit de sa batterie afin de ne pas entendre l'appel de mon corps qui hurle d'envie.

En arrivant en haut de l'escalier, je m'arrête net et me ravise. Ils sont devenus amis, Éric et lui, à force de marcher, de parler entre hommes. Que pensera-t-il de moi, si je lui dis que j'aime Éric mais qu'un autre homme m'attire de façon électrique et irrépressible ? Et surtout, que va-t-il faire de cette confidence ? Même s'il la garde secrète, je lui fais confiance, elle le rongera, il ne pourra pas ne pas y penser en allant marcher avec Éric. Il se sentira mal et probablement triste. Je ne peux pas lui infliger ce fardeau, lui qui cherche à s'alléger.

Je repars vers mon atelier en glissant la lettre dans la poche arrière de mon pantalon et en posant les autres documents sur le rebord de la fenêtre. Le cycle de mon four est terminé, je vais pouvoir sortir mes pièces émaillées. Ça m'occupera l'esprit. Je n'avais rien cuit depuis Noël. Six semaines sans chauffer. Il est plein à craquer et je vais retrouver ce que nous avons fait ensemble, Anna-Nina, Éric et moi, pendant les vacances de Noël, puisque l'hiver est froid et moins propice aux balades. J'aime ces moments où nous créons à trois. Anna-Nina parle peu, concentrée sur ce qu'elle modèle, en écho au silence que m'impose la pratique du tour. Éric doit savourer ces minutes où les deux personnes les plus bavardes qu'il connaisse se taisent. Il aime créer. Il fait des poules. Des petites, des grandes, des drôles, des méchantes. Il veut les mettre un peu partout dans le jardin. « Comme ça, les renards s'y casseront les dents. » Chacun son petit animal fétiche.

J'ai sorti toutes les œuvres et je les ai posées sur la grande table en bois. Je m'assois face à elles et je ferme les yeux. J'aime cet instant où je les entends chanter. Elles se détendent, elles prennent leur forme, libèrent des sons en même temps que la haute chaleur emprisonnée dans leur masse. Comme des petites clochettes, elles sonnent imperceptiblement tout en refroidissant. Des *ding, tzing, bling* plus ou moins coordonnés. C'est beau, c'est doux, c'est apaisant. Mais pour la première fois, ça ne chasse pas mes pensées. Je pense au rendez-vous.

Ding, tzing, bling, je suis comme une poterie qui cherche à refroidir. Mon chant serait un cri, mais je n'ai pas le droit.

Les larmes coulent, moroses, depuis mes paupières closes. J'y arriverai bien. Je sais ce que je veux. Même si ça prend des semaines, et parfois des années, les poteries finissent un jour par cesser de chanter. Alors, pourquoi pas moi ?

Gaël entre dans l'atelier après avoir frappé. J'essuie mes joues et je me tourne vers lui en lui souriant. Il m'annonce qu'il va aller marcher avec Éric. Si je peux m'occuper d'Anna-Nina…

– Bien sûr. Dis-lui de venir ici, elle va découvrir ses pièces.

– Ça ne va pas, toi ! constate-t-il.

– Je suis un peu fatiguée. Et puis, écouter le chant de mes poteries, ça me fait toujours cet effet.

– Tu m'as dit un jour que ça te rendait joyeuse et légère.

– Ça doit dépendre des jours.

– Tu me dirais si quelque chose n'allait pas ?

– Ne t'inquiète pas.

Je veux être demain, avoir passé le cap, n'avoir que les regrets, être débarrassée du risque. Le risque de succomber.

55

Aimer déjà son nom

Nous marchons d'un pas rapide sous la pluie et dans le froid. Nous faisons désormais un tour deux fois plus grand. Gaël commençait à s'ennuyer, je crois. Enfin, surtout moi. Et un coach qui s'ennuie, c'est un coach qui cherche de nouveaux défis. Gaël a perdu vingt kilos. Il lui en reste six pour passer sous la barre fatidique du nombre à trois chiffres. Le résultat se voit, physiquement, mais aussi dans sa forme, son souffle, ses articulations. Il n'est pas euphorique, ça reste difficile pour lui. Ce n'est pas un grand sportif de nature, mais plutôt un gourmand. Privilégier le sport au détriment des bonnes choses représente pour lui une lutte de chaque instant. Certes moins intense qu'au début, car les endorphines inondent son cerveau pendant l'effort, mais il s'accroche. Et je le trouve plus motivé que jamais. Il marche à ma hauteur, un peu plus essoufflé que moi. Je vérifie toujours que notre rythme lui permet de tenir une conversation.

– C'est bien dis donc, dis-je pour l'encourager.

– Quoi donc ? Marcher sous une pluie glaciale ? C'est top ! J'en rêvais, tu l'as fait.

– On avait dit par tous les temps. Non, je parlais du résultat sur la balance.

– Oui, c'est bien, confirme-t-il sans grand enthousiasme.

– C'est tout l'effet que ça te fait ?

– Tu sais, j'ai l'âme d'un gros. J'ai toujours été gros, depuis tout petit. Je me suis construit avec l'image d'un gros, aux yeux des autres et des miroirs. Ça peut paraître étrange, mais mon cerveau ne comprend pas. Même si je suis loin d'être svelte, vraiment loin, je ne corresponds plus à l'image qui était enregistrée là-haut. Alors je suis un peu perdu.

– Ça veut dire que tu regrettes ?

– Certainement pas. Mais ça veut dire qu'il y a encore du chemin avant que je me sente vraiment bien. J'entends d'ici les « tu devrais être content ». Quand j'aurai atteint mon objectif, je n'aurai plus le droit de me plaindre de mon image.

– On a toujours le droit de se plaindre, il suffit de choisir les bonnes personnes.

– Mais j'ai aussi décidé d'arrêter de me plaindre, parce que c'est pénible d'entendre les autres geindre. Et puis, toute cette peau qui commence à tomber. Ça ne va pas aller en s'arrangeant.

– Ça, c'est le problème, quand on perd beaucoup de poids, il faudra peut-être que tu en passes par la chirurgie esthétique.

– Oui, mais pas tout de suite. Je vais rester au moins un an avec ce sac de peau en bandoulière. Comment veux-tu que je lui plaise comme ça ? Enfin… que je plaise.

– Ahah ! T'en as dit trop ou pas assez. Tu as envie de plaire à qui ?

– À une mère d'élève.

– Aïe ! Casse-gueule, fais gaffe !

– Ils se sont séparés.

– Alors ça va.

– Mais que veux-tu qu'elle me trouve ?

– Tout ce qu'il y a derrière les apparences. Elle aime les chats ? Présente-lui Socquette. C'est un atout indéniable pour la séduire.

– Te moque pas.

– Tu en as parlé à Valentine ?

– Non, pas encore. Mince alors, on devient à ce point intimes, toi et moi, que je te confie mes secrets en premier.

– C'est bien ce qui m'inquiète. Valentine va être vexée si elle apprend que tu as changé de crémerie. Et puis, tu sais, je ne te serai pas d'un grand secours dans ce domaine. Je ne comprends pas plus les femmes que toi. Et c'est toujours utile de les comprendre pour les emballer.

– Justement, j'ai l'impression qu'on se comprend sans en dire beaucoup elle et moi. Mais je me fais peut-être des idées.

– Comment s'appelle-t-elle ?

– Colleen Donnelly.

– Rien qu'à son nom, on a envie de l'aimer. Elle aurait pu s'appeler Germaine Poilu, t'imagines ?

– Non.

– Pourquoi elle s'appelle comme ça ?

– Elle est irlandaise. Et son mari breton. Il avait été muté en Alsace. Il bosse à la DGSE aux grandes oreilles de Mutzig. Et ils vont repartir.

– Elle aussi ?

– Oui, en Bretagne, pour ne pas être trop loin de son fils.

– Et tu tombes amoureux d'elle juste avant qu'elle parte ? Tu aimes te faire du mal, Gaël !

– Je n'y peux rien. Et je ne sais pas si nous sommes amoureux. C'est juste doux entre nous. Et léger. Et beau. Et touchant. Elle est toute petite, toute menue, les cheveux un peu roux et très bouclés, des taches de rousseur à n'en plus finir, les yeux verts, et un accent qui chante dans les oreilles.

– C'est bien ce que je dis, tu es amoureux ! Parles-en à Valentine, c'est elle qui la connaît. Et qui TE connaît !

– Bah, tu commences à me connaître aussi, non ?

– Au niveau du caractère, oui, pas au niveau du cœur.

– Il ne vaut peut-être mieux pas, c'est un peu dévasté.

– Justement non, regarde ! C'est en train de repousser.

56

Ne me dis rien

Anna-Nina a posé ses quelques poteries sur sa table de chevet pour les entendre chanter en s'endormant. Elle va vite trouver le sommeil. Elle n'a pas de raison d'être triste en les écoutant. Elle en sera peut-être encore bercée au petit jour.

Je reste hantée par la lettre dans la poche de mon pantalon. Je l'ai jetée au feu en regardant les mots disparaître dans les flammes. Mais elle est toujours là. Je sais qu'il ne faut pas, mais je n'arrive pas à imaginer l'homme m'attendre toute la soirée sans explication. Je ne lui dois rien, certes, mais il pourrait prendre ce silence pour du mépris. J'en déteste l'idée. Peut-être est-il temps de parler, de lui expliquer que tout cela n'était pas raisonnable et que je vibre pour un autre homme. D'autres auraient peut-être mis l'enveloppe à la poubelle sans se soucier de rien. Je n'y arrive pas. Pas après ce peu que nous avons partagé. Ce peu et pourtant ce si fort.

Il est déjà vingt et une heures et je ne sais pas quoi dire à Éric qui lit sur le canapé. J'aurais préféré qu'il ait eu envie de solitude ce soir. Voilà aussi pourquoi je dois cesser tout ça. Je m'en veux, il ne le mérite pas. Je devrais peut-être lui en parler, pour qu'il me protège de moi-même, mais ça lui ferait du mal. Cela me concerne et m'appartient, c'est à moi de gérer seule. Je prends au hasard un papier de l'école et je prétexte de l'emmener à Gaël.

– C'est si urgent que ça ? Tu le vois demain.

– Ça me fera bouger un peu, je ne sors plus avec le chien.

– Je t'attends ici.

Voilà, c'est parfait comme ça. Je dépose le papier, je passe par l'atelier dire à l'homme que je ne viendrai pas, et je suis là dans une demi-heure, au chaud, avec Éric.

Je l'embrasse, déjà emmitouflée, et je me précipite dans le froid de février. Mes idées se bousculent, même si je suis certaine. Si j'avais voulu répondre à cette invitation, il aurait fallu mentir à tout le monde, ou mettre Gaël dans la confidence, pour qu'il serve d'alibi, avec la peur au ventre d'être un jour découverte. Et que dire du problème des enfants ? Prendre le risque de gâcher leur belle amitié pour ce genre de bagatelle ?

Je pense aux mots de Gustave : « On peut toujours décider que non. »

Mais est-ce vraiment de la bagatelle ? Mon ventre proteste.

Gaël ne comprend pas pourquoi je viens lui déposer ce papier sans importance, mais il lit dans mes yeux qu'il ne vaut mieux pas chercher. Il me dit simplement, alors que je repars :

– Prends soin de toi, ma belle, tu m'inquiètes un peu en ce moment.

L'amitié, c'est parfois de respecter les silences.

Moi aussi, je m'inquiète. J'ai failli tout lui dire. C'est tellement difficile de garder pour soi, sans pouvoir partager. Se sentir seule face à ses propres décisions, sans encouragement, malgré la difficulté de l'épreuve. Seule dans ses choix, dans ses regrets peut-être, dans ses remords sûrement.

Le plus dur reste à faire. L'heure du rendez-vous est passée depuis vingt bonnes minutes. Peut-être est-il rentré chez lui, mon absence silencieuse en guise de réponse. Se dit-il déjà que je n'en ai rien à faire de lui ? S'il savait. S'il savait toutes ces pensées qui volent encore dans la forêt, cette odeur de bois et d'essence qui m'a saisie la première fois. Cette lutte entre mon ventre et ma tête. S'il savait comme il me coûte de venir pour dire non. Comme il me coûte de ne pas réussir à balayer cette histoire d'un revers de main, comme des miettes sur une table, négligemment, en parlant d'autre chose.

J'aperçois de la lumière à travers le carreau de son atelier. Il doit encore y être. En m'approchant, j'ai veillé à ne pas être vue. L'éclairage public est très faible dans ce morceau de rue. Je décide de ne pas frapper, d'entrer directement, puisqu'il m'a invitée, et de fermer la porte rapidement, pour faire comme si je n'étais pas là, comme si tout cela n'était que du vent, du temps qui passe et qui s'efface, instantanément.

Il ponce quelque chose avec du papier de verre, au fond de la pièce, assis devant une table couverte de copeaux, d'outils, de morceaux de bois. L'odeur immédiatement. J'ai le temps d'apercevoir de nombreuses pièces, façonnées, travaillées, taillées, creusées, poncées. C'est troublant. J'y retrouve un peu l'ambiance de chez moi. Il se lève sans un mot et vient à ma hauteur.

Souviens-toi, Valentine, de pourquoi tu es là.

– Je ne peux p…

Il a couvert ma bouche de sa paume rugueuse et chaude pour laisser les yeux se retrouver. Je ressens instantanément le désir qui jaillit du fond de moi. L'effet est immédiat, mais je ne peux pas. Comme ce n'est plus ma bouche, ce sont mes yeux qui parlent. Des pleurs soudains, aussi violents que mes envies, coulent sur sa main toujours plaquée sur moi. Et là, son regard change. Il n'est plus en puissance, il est en retenue, il ne cherche pas à me harponner, je crois qu'il me libère. J'y vois la déception, et l'envie contrariée, le renoncement, la raison qui gagne. Sa main qui me bâillonne tremble de plus en plus. Il la descend doucement, frôlant à peine mon sein. Je crois même qu'il ne m'a pas touchée mais j'ai senti la force de son intention, la vibration. Il poursuit jusqu'à atteindre ma main et l'ouvre vers le haut. Il y dépose un objet en bois, rond, doux, presque charnel, et referme mes doigts dessus. De son autre main, libérée de la sphère, il saisit mes cheveux à la base de la nuque. Une mèche épaisse. Il serre, il tremble, et attire mon front dans le creux de son épaule. J'inspire profondément. C'est peut-être la dernière fois que je sens son odeur d'aussi près, aussi fort. Puis il s'éloigne, va ouvrir sa porte et me laisse sortir en me regardant une dernière fois. C'est son premier sourire, et il est triste à mourir.

J'arrive chez moi hors d'haleine d'avoir couru, d'avoir pleuré, d'avoir désiré et renoncé. Je file à l'atelier, j'ai besoin de retrouver l'odeur du bois. Je n'ai pas desserré l'objet qui se trouve dans ma main. Je m'assois sur le tabouret au milieu de la pièce et j'écarte les doigts. Dans la petite sphère ronde rayée de stries courbées, un dessin a été taillé. Un arbre. Celui contre lequel...

Je la glisse dans ma poche et je saisis de la terre, une grosse boule, que je malaxe pour chasser l'air, je la mouille de mes larmes, la pièce sera salée, peut-être que des reflets particuliers apparaîtront à la cuisson. Je la jette sur le tour avec rage, comme si je voulais qu'elle emporte cette colère qui m'a envahie, plus forte que moi. Colère de l'abandon, de la résignation. Et ça fait mal au ventre, et ça m'arrache les tripes. Ça fait mal dans la tête, dans le cœur, dans les jambes. Un mal à en crier. Je pleure bruyamment en essayant en vain de centrer cette argile. Je suis tellement éparpillée que mes mains ne peuvent pas. J'essaie, je recommence, je sanglote, je gémis. Pousser de la main droite, écraser de la gauche. La pièce continue à vibrer, preuve qu'elle n'est pas centrée. Je suis cette boule d'argile qui ne veut rien savoir, qui part dans tous les sens, qui frémit et qui tourne.

Éric entre. Je n'arrive pas à m'arrêter. Ni de tourner, ni de pleurer. C'est lui qui coupe le moteur et me prend dans ses bras pour absorber un peu l'énergie qui déborde, pour me calmer comme il peut.

Et je vais lui dire quoi ? Comment me justifier ?

Il me donne la réponse :

– Surtout, ne me dis rien.

57

Un livre sous les draps

Les vacances de février sont vite arrivées. Sébastien les passe à Solbach. Pas de place pour lui dans la voiture en partance pour les sports d'hiver. Sa mère va rester dans l'appartement pour s'occuper de sa petite sœur, et son beau-père ne veut pas se coltiner à longueur de journée un gosse de dix ans qui n'est jamais monté sur des skis. Alors ils l'ont casé chez son père. Celui-ci n'a pas dit non. Il n'a pas dit oui non plus. La fibre paternelle, il ne l'a jamais vraiment trouvée.

Anna-Nina en a profité pour inviter son copain à dormir, pour une nuit. Elle en a parlé à Éric et Valentine, juste pour une nuit, comme c'est les vacances. Ils sont d'accord. Tout est organisé, il ne manque plus que l'approbation de son père.

– Chez qui tu dis ?

– Chez Anna-Nina, ma copine de la roulotte, tu sais, je t'en ai parlé, ils logent chez Valentine Bergeret.

– Oui, oui, tu m'avais dit.

– On s'entend bien, elle m'a proposé de rester chez eux cette nuit.

– T'as déjà une copine à ton âge ?

– C'est pas ma copine, c'est une copine.

– Tu peux, mais prends une clé, je ne serai peut-être pas là quand tu rentreras demain.

Quand Sébastien arrive dans la cour avec son petit baluchon sous le bras, il a le sourire du prisonnier qui vient d'être libéré. Deux jours complets dans une famille normale. Enfin, normale dans le sens où on s'y sent bien, pas au sens génétique.

Et puis, il l'aime bien, Anna-Nina. Depuis sa lettre de Noël, ils s'écrivent régulièrement dans la semaine, quand il n'est pas là. Il lui ramène des surprises de la ville, elle lui met de côté ses trouvailles de la nature. Ils se sont fait une boîte à secrets. Des objets insolites, ou des pensées qu'ils n'ont envie de partager avec personne. Cette boîte est rangée dans le grenier de Gustave. Ils y mettent ce à quoi ils tiennent comme un trésor de guerre. Une guerre d'enfants contre le monde des grands, pour ne pas se faire engloutir. Pour garder leurs jeux, leurs rêves, leur insouciance. Même si celle de Sébastien est déjà bien entamée, d'être brinquebalé entre des adultes qui n'ont que faire de lui. Ils ne le savent pas encore, mais cette boîte, c'est la gardienne de leur innocence. Un jour, ils seront peut-être coupables d'avoir vieilli en grandissant, et cette boîte leur filera un coup sur la tête. Ou avec un peu de chance, ils grandiront sans vieillir, comme Gustave. Un rien les amusera, et ils auront toujours des rêves grandioses et le désir farouche de les réaliser.

En l'occurrence, le rêve grandiose d'Anna-Nina ce soir, c'est de fabriquer une cabane dans sa chambre. Elle a déjà installé le lit de Sébastien, même sans connaître la réponse de son père. Entre les deux couchages, un bel espace permet de tendre quelques draps. Des draps, chez Valentine, ce n'est pas ce qui manque. Des tout vieux, mais tellement épais qu'ils sont presque comme neufs, en lin, brodés aux initiales de l'arrière-grand-mère. Elle en prend trois dans l'armoire au bout du couloir. Et puis des pinces à linge dans le grenier, là où Valentine suspend ses lessives en hiver. Éric ne l'a aidée que pour tendre le plus haut coin de tissu vers le crochet du plafonnier, pour le reste, elle veut se débrouiller avec le jeune garçon. Le repas à peine terminé, ils ont filé pour fignoler leur coin secret. Quand Valentine et Éric viennent pour leur souhaiter une bonne nuit, ils ne voient dans la chambre que la grande tente blanche éclairée d'une lampe torche, projetant deux enfants immenses en ombres chinoises. Une tête passée entre les draps leur permet de constater qu'ils sont déjà en pyjama, les dents probablement brossées, à regarder le livre d'astronomie de Gaël.

Un peu plus tard avant la nuit, ils se chuchotent encore quelques secrets :

– Tu sais, je vois ma maman de temps en temps, alors qu'elle est morte.

– Ah bon ? Et ça te fait pas peur ?

– Ben non, elle ne me fait pas de mal.

– Il dit quoi ton père ?

– Il dit que c'est un sacré don, parce qu'il s'est renseigné, et maintenant il pense que ça existe, mais que c'est pas donné à tout le monde.

– Et tu vas en faire quoi de ce don ?

– Rien du tout ! Ça n'intéresse personne que je voie ma maman !

– Mais tu vas peut-être voir d'autres morts, et alors les gens voudront savoir.

– Je sais pas. Gustave me dit que c'est trop tôt pour réfléchir à ça.

– Tu voudrais pas faire ça comme métier ? Discuter avec les morts ?

– C'est pas un métier ! Moi je veux être bienfaiseuse.

– Bienfaiseuse ? Bienfaitrice tu veux dire ?

– Non, bienfaiseuse.

– Ça existe pas !

– Eh ben je l'inventerai.

– Et c'est quoi ?

– Un faiseur, c'est quelqu'un qui fabrique, comme un artisan. Moi je veux fabriquer du bien !

– Et tu vas faire comment ?

– Je n'en sais rien pour l'instant. Mais il y a sûrement plein de façons. Et toi ?

– Moi ? Je ne sais pas. Peut-être conduire des bus pour partir un peu partout dans le monde, emmener des vieux en vacances, comme mon arrière-grand-mère. Les vieux en vacances, normalement c'est gentil. Ou alors pâtissier. J'aime bien faire des gâteaux.

– On pourra en faire un demain, si tu veux, propose Anna-Nina.

– Et ton papa, il fait quoi comme métier ?

– Pour l'instant, il n'a pas de vrai métier. Il aide par-ci par-là. Avant que je naisse, il était informaticien. Il va peut-être refaire ça chez les particuliers. Tes vieux qui partent en vacances, il y en a de plus en plus qui achètent un ordinateur, mais qui n'ont aucune idée de comment ça marche. C'est Gaël et Valentine qui lui disent ça.

– Sinon, il pourrait faire coach sportif, comme avec Gaël.

– Oui, mais ça c'était juste pour l'aider à aller mieux.

– Alors ton père, il est bienfaiseur aussi !

– Oui, c'est vrai. Maintenant, il faut qu'on dorme, il ne va pas être bienfaiseur du tout s'il voit qu'on ne dort toujours pas…

– Tu comptes pour moi, lui murmure Anna-Nina dans le noir, quelques minutes plus tard, de l'autre bout de la pièce.

– Toi aussi, lui répond Sébastien en se demandant si ce n'est pas la première fois qu'il entend ces mots-là.

58

Un grain de sable dans l'humanité

– Ça ne m'étonne même pas !

– Tu es pénible, répond Gaël. Je ne pourrai donc jamais te surprendre ?

– Je te connais comme un frère, je n'y peux rien de sentir ce qui se passe chez toi. Et puis, il faut dire que vous parlez souvent, avec la maman de Jimmy.

– Je crois qu'elle était un peu perdue, elle ne savait pas comment lui annoncer qu'ils allaient partir. Depuis la rentrée de janvier, elle me demande conseil. Ça ne se passe pas très bien avec son futur ex-mari.

Nous arpentons la cour d'un bout à l'autre. La journée est froide mais le soleil est de sortie. Les enfants bien habillés s'amusent dehors, après des semaines de gris. Nous prolongeons la récréation en parlant à voix basse :

– Ils sont déjà séparés ?

– Ils cohabitent jusqu'à Pâques, date à laquelle ils iront vivre en Bretagne. Lui a été muté. Elle le suit pour Jimmy.

– Et c'est d'elle que tu tombes amoureux ?

– Je ne suis pas amoureux !

– Tu plaisantes ?

– Bon. Peut-être un peu.

– On ne peut pas être « un peu » amoureux. Toi encore moins.

– De toute façon, que veux-tu qu'elle me trouve ?

– Tu veux vraiment que je te dise ?

– Non, c'est bon. Je sais que je ne suis pas un gros con. Gros, mais pas con. Mais mon corps lui ferait peur.

– Ton corps fait partie de toi, si elle t'aime elle l'aimera.

– Je ne sais pas si elle m'aime.

– C'est sûrement un peu tôt pour le dire, elle est perdue dans un tourbillon, mais ses regards et ses sourires quand elle te voit me semblent plutôt chaleureux.

– Je n'oserais jamais la toucher, de peur de me montrer. Je déteste me voir. Même avec vingt kilos en moins.

– Il te faudra du temps, et un peu de soutien. Si tu veux, je t'accompagne en consultation chez un chirurgien esthétique. Il te donnera des perspectives. Une solution à laquelle t'accrocher pour t'accepter. En attendant, on trouvera des solutions. Et puis, tu n'es pas obligé de te montrer immédiatement. Certaines histoires d'amour s'installent dans le temps, petit pas par petit pas. Et c'est très savoureux.

– De toute façon, pour l'instant rien n'existe.

– Une petite luciole d'envie quand même. Laisse venir. Et continue le sport, ça te réussit bien.

– C'est vous tous qui me réussissez bien. On forme quand même un drôle de clan, non ?

Puis il me parle d'Anna-Nina. De sa grande sensibilité, de la chance de l'avoir comme élève, de son inquiétude pour elle, dans ce monde qui ne sera jamais adapté à son besoin de douceur.

– C'est quand même triste de se dire que face à la masse, ce sont les gens doux et sensibles qui doivent s'adapter. Comme toi, comme moi, comme Gustave, comme Éric, ajoute Gaël.

– Tu sais, on peut s'adapter sans se perdre. Il faut juste trouver la bonne façon de s'intégrer. Faire sa part, comme dit Gustave, et se protéger. Nous pouvons lui apprendre à se préserver, à se blinder un peu, mais sans perdre ce qu'elle peut apporter. Son grain de sable dans l'humanité. Elle fera de belles choses, je le sens. Elle sait aimer, s'émerveiller, partager. C'est une force, il faut l'encourager.

– Et en plus elle flirte avec l'autre monde, ajoute Gaël.

– Tu n'y crois pas ?

– J'ai un peu du mal à me l'imaginer. Mais vous vous êtes renseignés, tout ça n'est pas inventé, alors je veux bien y croire. Avec elle, je veux bien y croire. Elle a quelque chose de l'ordre du merveilleux qui m'empêche de douter.

– Tu me diras pour Colleen Donnelly ?

– Tout, tu sais bien…

59

Sans y mettre les formes

Ce mois de mai est plein d'espoir. L'énergie remonte dans nos vies comme la sève dans les arbres. L'hiver a été froid, long, humide, et nous accueillons les belles journées de printemps comme un chiffon sur la buée.

Je vais souvent me poser sur le banc à côté de l'arbre au col de la Perheux. Quand j'étais petite, je venais lui confier tous mes chagrins. Je les notais d'une écriture minuscule au crayon HB bien taillé sur des morceaux de papier que je pliais autant de fois que la matière me le permettait jusqu'à en faire des petites boules et je les coinçais dans les failles de l'écorce, le plus haut possible, en me disant qu'il les absorberait et qu'il digérerait ma peine en l'emportant avec la sève dans les entrailles de la terre. Je me collais contre lui en écoutant le chant du vent dans ses feuilles. J'étais sûre qu'il me répondait et je redescendais plus légère vers le village.

Aujourd'hui, pas de petits papiers, de crayon, d'écriture minuscule, mais je viens réfléchir contre lui. Je m'y adosse, je ferme les yeux et je cherche quelques réponses. Je n'en ai toujours pas trouvé à Yann. Cette attirance instantanée pour un homme silencieux, solitaire, mystérieux, un peu sauvage, continue de me hanter. J'ai quitté le chemin des possibles avec lui, mue par la conscience raisonnable qui m'intimait de choisir pour ne faire souffrir personne. Mais je reste secouée par la vibration que je n'ai pas su maîtriser. J'intègre au fil du temps la certitude d'avoir pris les bonnes décisions mais ne me déferai jamais de la vacuité que laisse derrière elle cette relation soudaine. Un désir non comblé, y compris celui de savoir qui il est.

Et il faudra que je vive avec ce bout qui manque, cette ignorance imposée, conséquence du renoncement, peut-être toute une vie.

Gustave est fatigué. Il a beau me dire qu'Anna-Nina et Sébastien lui donnent la pêche comme jamais, il accuse quand même le coup des balades dans la nature et du bricolage à l'atelier. Son âge, sa vie passée ne peuvent pas lui donner le répit qu'il aimerait. C'est ça de ne pas vieillir dans sa tête en même temps que son corps, parfois le décalage tiraille. Mais il a une vie douce, c'est le principal.

Les deux enfants se complètent à merveille et ils se sont attachés l'un à l'autre avec beaucoup de tendresse. Ils passent du temps ensemble le week-end et ce garçon est bien plus épanoui que quand nous l'avons rencontré. Ils ont achevé les travaux dans l'arbre et la cabane est terminée. Ils y passent une bonne partie de leur temps, même lorsqu'il fait mauvais. Le toit les protège des intempéries, en dehors de quelques zones qu'ils n'ont pas pu obturer. Ils ont même un système pour s'enfermer là-haut, grâce à une échelle amovible. Ils doivent s'y sentir forts, et seuls, et protégés. Ils bricolent, ils jouent, ils inventent des histoires de pirates et de chevaliers. Et maintenant que les feuilles de printemps se sont bien épanouies, leur cachette secrète est totalement dissimulée.

Éric a commencé à réfléchir à une petite entreprise informatique sans trop d'investissement, ni de temps à passer. Juste pour occuper ses journées. Ils se sont beaucoup rapprochés avec Gaël et passent du temps à jouer de la musique, à bouger, à parler. Je m'y suis faite. Après tout, ça ne change rien à leur relation avec moi. Je peux bien partager. Et cela me permet de retrouver du temps pour poursuivre tout ce que je faisais avant. La poterie me fait toujours du bien, je ne veux pas lâcher. Le bois, en revanche, est plutôt devenu l'activité d'Éric, qui s'est pris au jeu. Les ateliers sont attenants, et l'espace est ouvert. Ainsi, nous passons parfois quelques heures juste à nous regarder avancer l'un et l'autre, chacun dans nos projets. Ce sont des activités qui nécessitent de la concentration, donc du silence, et qui nous permettent de déballer sur le tour, ou sur le plan de travail, un petit bout de soi, celui qu'on veut chasser. Nous sortons de ces séances souvent vidés et remplis à la fois de cette distance tout en complicité. Il arrive fréquemment que nous fassions l'amour juste après, ou bien dans la soirée, d'avoir été si proches sans pouvoir nous toucher dans des activités très sensuelles, en particulier pour moi avec le travail de la terre. Je me sens sincèrement revivre de ce côté. Le manque était abyssal avant qu'il n'arrive l'année dernière, et j'avais installé une chape de plomb sur mes envies pour moins souffrir du vide. Je sais qu'il n'y a pas qu'Éric qui est venu creuser, remuer, aérer, stimuler tout ce désir qu'une femme peut

avoir au fond d'elle, cette sensualité, le plaisir, la jouissance. Yann et sa tronçonneuse y ont contribué.

Nous n'avons pas parlé bébé depuis ma lettre en
décembre, même si mon désir d'enfant monte de semaine
en semaine. Je le laisse guérir de ses peurs, je ne peux pas
l'obliger à accélérer le processus, sous prétexte que je suis
impatiente. Il me montre autrement qu'il tient à moi. Et
nous avons le temps.

Nous sommes enfin arrivés au mercredi du rendez-vous
chez le chirurgien esthétique. Un mois que Gaël m'en
parle. Nous en profiterons pour nous asseoir à la terrasse
d'un café et pour regarder passer les gens, faire quelques
emplettes à Strasbourg afin de lui trouver de nouvelles
tenues. Claude lui a prescrit une ceinture abdominale
pour retenir cette peau qui ne peut plus se rétracter. Il en
souffre beaucoup, il trouve son ventre laid. Et moi je
l'admire pour tout ce qu'il a fait. Je sais qu'il a encaissé,
parfois sans m'en parler. L'électrochoc du départ de
Geneviève a provoqué chez lui un ensemble de décisions
fortes et douloureuses en regard de sa nature, qui avait
tendance à se laisser aller. Il savait que sans décisions dras-
tiques, il courait vers un mur. Et là, il l'a franchi, non sans
mal, mais il l'a franchi. Vingt-six kilos perdus. Moi qui le
croyais à cent quinze, il est parti de cent vingt-cinq. C'est
une des rares choses qu'il ne pouvait pas m'avouer avec
sincérité ces dernières années. S'il me le cachait à moi,
c'est qu'il voulait se le cacher à lui. Comme je lui ai aussi
caché ce que je ne voulais pas m'avouer.

– T'es à un poids psychologique, comme les prix, lui a lancé Anna-Nina quand il nous a annoncé la bonne nouvelle de ses quatre-vingt-dix-neuf kilos enfin atteints. Papa m'a dit qu'on enlevait un centime pour que les gens achètent plus facilement.

– Tu crois qu'on m'achètera plus facilement, alors ?

– Toi t'es pas à vendre, t'es un cadeau.

Gaël en a rougi. Il aurait bien voulu s'offrir à Colleen Donnelly, mais elle était partie.

Arrivés dans le quartier du rendez-vous, j'essaie de lui changer les idées, je le sens angoissé :

– Tu as des nouvelles de ta petite Irlandaise ?

– Oui, on s'écrit depuis qu'elle est partie. C'est difficile pour elle de changer comme ça de vie. Elle avait des amies ici, un travail. Elle a dû renoncer à beaucoup de choses. J'essaie de la réconforter, de la faire rire. C'est joli ce qu'on se dit. Elle vit dans une maison face à la mer, la résidence secondaire de ses parents, qui n'y vont que très peu. Ça me donne envie, quand elle me décrit les paysages, la plage, les marées, le sable, les coquillages.

– Va la voir !

– Pas tant que je ne suis pas présentable.

– Tu verras ce que te dit le médecin.

Nous entrons dans un cabinet luxueux. Du noir au sol, du rose aux murs, du mobilier brillant, des revues féminines. La clientèle doit l'être en majorité. Gaël n'est pas à l'aise, il se tortille sur sa chaise, regarde partout autour de lui, pouffe discrètement en me cognant du coude, pour que je regarde les détails qui nous montrent que nous venons d'un autre monde.

– On sait où va l'argent des clients, chuchote-t-il en me montrant une sculpture de femme élancée dans les bras d'un homme musclé.

Il se racle la gorge et se redresse sur sa chaise, quand une patiente arrive dans la salle d'attente, des lunettes de soleil sur les yeux. Sûrement quelques cicatrices récentes à cacher.

Le chirurgien nous appelle sans trop nous regarder. Nous nous levons d'un bloc et le suivons jusqu'à sa pièce de consultation.

– C'est pour quoi ?

Gaël hésite un peu puis il prend la parole :

– J'ai perdu vingt-cinq kilos et j'ai la peau du ventre qui...

– C'est pour une abdominoplastie ? Oui, difficile de s'en passer quand on était obèse.

– Je viens voir ce qu'il est possible de faire, et puis pour un devis.

– Une partie peut être remboursée si la peau recouvre votre pubis. À voir avec la Sécu. Je vais d'abord regarder, nous dit-il en tapant sur son ordinateur. Pas de diabète, d'hypertension, de cholestérol ? D'autres soucis de santé ?

– Non.

– Vous faites du sport ?

– Oui. Vélo elliptique, natation, marche.

– Venez à côté et déshabillez-vous.

Gaël se déshabille, enlève la ceinture de maintien et se poste face au chirurgien.

– Oui, en effet, commente-t-il simplement. Tournez-vous !

Il tâte les replis de peau sur le ventre, dans le dos, sous les bras.

– Allongez-vous maintenant !

Je sens Gaël bouillir. Il ne supporte pas le peu d'égards de l'homme. Il se sent jugé, jaugé, comme une tête de bétail. Et le type continue en lui empoignant la chair pour se rendre compte de la masse à enlever. Je crois que nous sommes proches du point de rupture. Gaël sait se contenir jusqu'à un certain stade. Il a cet avantage de ne pas toujours savoir se taire.

– Vous avez grandi dans une boucherie, ou bien ? lance-t-il au médecin.

– Non, pourquoi ?

– Parce que vous manipulez la viande avec une sacrée dextérité. Mais ladite viande a deux yeux, que vous avez à peine regardés, un cerveau et un cœur. Allez, Valentine, on s'en va, je ne suis pas un cochon qu'on découpe.

– Ne le prenez pas comme ça, je fais mon travail.

– Si ! Je le prends comme ça. Inutile de continuer, de toute façon, ce n'est pas à vous que je confierai mes bourrelets.

– OK ! Si vous voulez patienter quelques instants, je vais voir si ma collègue est disponible.

Je raisonne Gaël, même si je le comprends. Il arrivait avec toute sa vulnérabilité et l'autre l'a traité comme une chose à trancher avec son bistouri. Mais nous avons fait le déplacement, et il a besoin de réponses, pour se sentir bien, pour avancer, pour se plaire, et peut-être à Colleen. Il accepte d'attendre de voir si l'autre chirurgien peut le prendre entre deux rendez-vous. C'est la secrétaire, quelques minutes plus tard, qui vient nous annoncer qu'il ne va pas tarder. Gaël est resté allongé sur la table d'examen. Je l'ai recouvert de son T-shirt, pour qu'il ne se sente pas exposé. Il m'a saisi la main en guise de soutien. Il prend sur lui, je le sais. C'est à ce moment-là qu'elle entre. Un petit bout de femme juché sur des talons aiguilles, le sourire sincère et la démarche sûre. Elle nous serre la main.

– Vous êtes sa femme ? me demande-t-elle.

– Non, sa meilleure amie.

– Vous semblez très liés, c'est touchant. Excusez mon collègue, il ne met pas toujours les formes, pour un chirurgien qui pose des prothèses de sein à longueur de temps, ne pas mettre les formes, avouez que c'est un comble ! lance-t-elle en riant alors qu'elle se lave les mains.

Elle s'approche de Gaël, qui se raidit de tout son corps. Je lui reprends la main. Elle lui demande s'il est d'accord pour qu'elle regarde et si elle peut soulever son T-shirt. Il le fait lui-même.

– Je vais devoir mesurer l'importance de la peau à enlever. Ce n'est pas très agréable, mais ça me permettra d'évaluer au mieux l'intervention, d'accord ?

– Allez-y.

Elle le palpe en le regardant avec bienveillance, lui demande de se tourner puis de s'asseoir. Gaël me fait face. Il esquisse un léger sourire.

– Bon, je dois encore vous voir de face, debout, et je ne vous embête plus.

Elle lui demande ensuite de se rhabiller et nous enjoint

de la retrouver dans son bureau. Nous ressortons vingt minutes plus tard, je sens Gaël soulagé.

– Je n'ai pas trop le choix de toute façon.

– Elle t'a bien dit que cette peau ne partirait pas par magie. L'autre solution, c'est de l'accepter.

– Non, je préfère des cicatrices. Tant qu'elle sera là, elle représentera mes vieux kilos. Par contre, pas avant un an !

– Il faut que tu sois stabilisé. Ça se comprend.

– Oui. Et je vais porter une gaine, comme ma mamie. C'est d'un romantisme sans égal.

– Ce qui compte, c'est que tu te sentes mieux.

– C'est le cas. Je ne saurai jamais comment te remercier.

– En me supportant encore quelques années.

Un peu plus tard, le soir, au moment du dîner, après avoir raconté à la tablée l'épisode du chirurgien, Éric nous parle du père de Sébastien. J'ai cessé de manger et je fais semblant de prendre un air détaché.

– Nous passions à côté, avec Anna-Nina, elle m'a dit que c'était le père de Sébastien, alors je suis allé le saluer, pour me présenter, explique-t-il.

– Et alors ? Il est comment ? demande Gustave, qui a longuement entendu le petit lui parler d'un père au travail tout le temps, peu enclin à jouer, avec un côté brut, fermé, parfois alcoolisé.

– Normal. Pas très bavard, mais normal. Un peu bûcheron, quoi !

– Ça veut dire quoi, « un peu bûcheron » ? m'aventuré-je.

– Bourru, un peu mal rasé, l'odeur de la forêt, la chemise

à carreaux. Il n'est pas très engageant. Il doit avoir l'habitude de vivre seul dans sa forêt, de ne parler à personne.

Je me décompose à l'intérieur en me demandant comment la structure de mon corps tient encore debout si plus rien ne la remplit. Je le revois, de jour tout contre l'arbre, de nuit dans l'atelier, je sens encore l'odeur, tant je m'en suis imprégnée. S'ils savaient, sa main sur ma bouche, la petite sphère en bois, le sourire d'un homme triste. Personne ne doit le trouver attachant, pourtant il m'a attachée, avec ses yeux puissants et son désir tremblant. Et puis j'ai renoncé, mes envies déchiquetées. La petite sphère est dans une poche au fond de mon sac, je la prends de temps en temps, je la serre fort, quand j'ai besoin d'énergie. Je ne sais pas si j'arriverai un jour à ne plus rien ressentir quand il s'invite dans mes pensées. De s'être ainsi possédés, d'être montés si haut, n'autorise pas une remise à zéro. Il restera toujours un reliquat de notre fusion, aussi courte ait-elle été. Comme si nous nous étions échangé des particules. Elles circulent quelque part.

– On pourrait l'inviter, propose Éric. Une fois, à déjeuner, un dimanche, avec Sébastien. Il n'a peut-être pas d'amis ici.

– Il n'a peut-être pas envie, dis-je en me levant pour débarrasser la table et dissimuler mon gigantesque trouble.

– On n'a qu'à lui demander ! conclut Anna-Nina.

Je ne sais pas ce que je ressens. Peut-être que le rencontrer dans un contexte normal me guérirait de lui, définitivement.

Ou pas.

Il restera les particules fines.

De toute façon, je n'ai pas trop le choix. Qui comprendrait que je refuse ?

60

Et on traverse seul
les coups vaches de la vie

J'adore le vendredi. Nous sommes l'après-midi, le 10 du mois de juin. Le week-end s'annonce ensoleillé. Nous allons pouvoir bien avancer dans le jardin avec Gustave. Je me réjouis. Les enfants sont occupés à illustrer le nouveau poème que nous avons appris. Je leur demande de le faire en silence, pour récupérer de cette dernière journée de la semaine. Je les observe les uns après les autres. Certains sont concentrés, sérieux, appliqués, d'autres regardent autour d'eux pour chercher une idée ou essaient de capter le regard du copain, juste pour rigoler. Je frappe légèrement sur le bureau pour les rappeler à l'ordre. Ce moment de calme est sacré. Ils savent, en plus, que la sortie est proche. Il ne reste que dix minutes avant qu'ils soient libérés, en week-end prolongé puisque c'est la Pentecôte.

Je repeins la roulotte. Cela faisait un moment que je ne m'y étais pas attelé, et je veux qu'elle soit parfaite, à trôner ainsi dans la cour de Valentine. Et puis, il y va de sa longévité. Je ne suis pas encore prêt, comme me le suggérait

Valentine, à la louer à des vacanciers qui voudraient venir se poser ici quelques jours. D'abord parce que je ne me sentirais plus chez moi ensuite, mais aussi parce que cela m'obligerait à dormir ailleurs. Même si nous partageons de plus en plus souvent nos nuits, avec Valentine. Garder le choix de l'endroit est confortable. Et puis, pour l'instant, c'est elle qui vient. On se sent seuls au monde, cachés dans la roulotte.

Gustave est allé chercher le courrier. Il revient, une lettre décachetée dans les mains. Il ralentit son pas pour la lire. Je l'observe de loin. Il semble très ému. Cela lui prend du temps, elle est longue, sur deux feuilles. Puis je le vois s'écrouler au milieu de la cour.

Je me précipite vers lui en lâchant le pinceau et le pot de lasure. Il est inanimé. Je cherche son pouls, je ne le trouve pas. Pas de souffle non plus. Je commence un massage cardiaque en appelant au secours. Les voisins sont dans leur jardin, je les ai vus tout à l'heure, ils vont m'entendre. Je cale un rythme dans ma tête. Les Bee Gees, « Staying Alive », m'avait-on appris quand j'ai passé mon diplôme de secouriste. Le couple de retraités arrive en courant. Je dis à l'homme de lui soulever les jambes et j'envoie sa femme dans la roulotte, première porte de l'étagère haute, à gauche au-dessus de l'évier, un boîtier rouge avec un gros cœur blanc dessus.

Anna-Nina fait irruption dans mon silence d'église, effrayant la plupart des enfants concentrés sur leur cahier.

Elle me crie qu'il faut partir. Gaël la suit de près, me regarde, étonné.

— Il se passe quelque chose, j'ai vu passer Gustave.

Nous l'emmenons à l'écart dans le couloir.

— Comment ça, tu as vu passer Gustave ?

— Devant moi. Je l'ai vu passer, et puis il est reparti. Il est arrivé quelque chose, il faut aller là-haut, insiste-t-elle en pleurant. Il faut aller là-haut.

— Vas-y, me dit Gaël, je sors les deux classes dans la cour, c'est presque la fin. Vas-y, je me débrouille pour rentrer.

Anna-Nina est déjà dehors, elle m'attend à la voiture. Elle respire à peine, étouffée par la panique.

— Calme-toi, on y va. Ne t'inquiète pas.

— Il lui est arrivé quelque chose. Je l'ai vu passer, comme maman au bout de mon lit.

— Ton papa est là-haut avec lui, ne t'inquiète pas. Même s'il se passe quelque chose, il n'est pas seul. On y va.

Je respire calmement pour ne pas m'épuiser, garder le rythme est crucial. Le voisin ne dit rien, il lui tient les jambes en l'air et me regarde agir. Son épouse revient rapidement, ouvre le boîtier alors que je continue à masser. Je lui dis quoi faire. Je connais le système par cœur. Je ne l'ai cependant jamais testé. J'aurais préféré le faire sur un inconnu. J'applique les patchs, j'appuie sur le bouton en m'éloignant de lui. Et là, je crois que je prie. Je ne sais pas quoi, mais je prie pour que ça marche. Pendant ce temps, je saisis mon téléphone dans ma poche et compose le 112 en mettant le haut-parleur pour entendre la machine en même temps. La personne qui décroche n'a rien besoin de me demander, je lui annonce : « Homme, quatre-vingt-un ans, arrêt cardio-respiratoire, à Solbach, c'est un village de montagne. » Puis je lui donne l'adresse. Elle me passe le médecin régulateur, à qui j'annonce que je dispose d'un défibrillateur. Il envoie les pompiers et le médecin le plus proche, en attendant l'hélicoptère. Entre-temps, la machine a fini son analyse, elle a choqué. Le régulateur me demande si la victime a repris une activité respiratoire. Gustave est toujours inconscient, mais en approchant ma joue de sa bouche, je sens un petit filet d'air. Je l'annonce au SAMU qui me dit de bien laisser la machine en place et de le mettre en position latérale de sécurité en attendant les secours. La voisine est allée se poster au bout du chemin.

Claude arrive quelques instants avant les pompiers, il a dû tout lâcher dans son cabinet de consultation pour venir aussi vite quand le SAMU l'a appelé. Il tient sa sacoche en cuir au bout de sa main, s'agenouille à côté de moi en me demandant depuis combien de temps.

– Dix minutes. Mais j'ai commencé le massage immédiatement. Et le défibrillateur l'a choqué environ trois minutes après qu'il s'est écroulé.

– Bien ! Très bien ! Les pompiers arrivent, on va le perfuser. L'hélico ne devrait pas tarder. Je crois l'entendre.

D'autres voisins sont arrivés, au bruit des sirènes. L'un d'eux propose d'aller un peu plus haut dans la zone dégagée pour faire signe à l'hélicoptère, seul endroit où il peut atterrir ici.

Claude pose une perfusion dans le bras de Gustave. Je reste à ses côtés. On entend l'hélico tout près, il doit se poser. Le cœur semble tenir.

— Regarde ! Tu vois ! Il se passe quelque chose ! Il y a l'hélicoptère là-haut ! me crie Anna-Nina en le montrant du doigt, au fond de la vallée.

— Ce n'est peut-être pas pour lui, dis-je, faussement rassurante.

— Je te dis que si ! Sinon, je ne l'aurais pas vu.

— Alors, dis-toi que si c'est lui, il est entre de bonnes mains, puisque l'hélico est déjà arrivé. Tout a été très vite, non ?

— Oui.

Elle a cessé de sangloter. Je sens de la colère, désormais. Comme si elle en voulait à la vie de toucher à son pépé, comme elle a commencé à l'appeler depuis que la cabane est finie. Elle tortille le bas de sa tunique avec les doigts, à s'en couper la circulation.

Le médecin du SAMU déboule du haut du village en courant, son énorme sac sur le dos. Il me prie de m'écarter et s'entretient avec Claude. Il me demande seulement ce qui s'est passé, et l'heure de son malaise. Un pompier tient la perfusion en l'air. Il est jeune. Peut-être son premier arrêt cardiaque.

Je ramasse la lettre piétinée dans la panique et je m'éloigne un peu. Inutile de rester. Une civière est approchée. Ils vont l'emmener. Claude vient me rassurer. Il me dit que son cœur est bien reparti, que j'ai fait les bons gestes, je l'ai peut-être sauvé. Il n'est pas à l'abri d'un nouvel arrêt pendant le transport mais Gustave est un coriace, Claude le connaît depuis toujours. Il sait que ça ira. Ils vont l'évacuer. Je ne sais pas s'il me dit tout ça pour se rassurer lui, ou si c'est la vérité. Je m'assois sur les marches, je ne peux rien faire de plus. Trop de monde s'affaire autour de lui. Je serais gênant. J'avais acheté ce boîtier il y a un peu plus d'un an, parce que nous étions loin de tout. Si j'avais fait un malaise, je voulais que ma fille ait de quoi agir, pour ne pas me voir mourir sous ses yeux. C'était illusoire, débile, mais ça me rassurait. Je lui ai appris à s'en servir. Bien m'en a pris. Si ce défibrillateur n'avait pas été là, à portée de main, Gustave serait sûrement mort.

La voiture de Valentine arrive à ce moment-là et se gare à l'entrée de la cour, à côté des pompiers. Ma fille en surgit et se met à courir vers l'attroupement. J'ai juste le temps de l'intercepter au vol et de la rassurer. Elle pleure à chaudes larmes.

– Ça va aller, ma puce. Il a fait un malaise, mais ils vont l'emmener.

– Je l'ai vu, papa, je l'ai vu dans ma classe. Il est venu vers moi. Je le savais !

– C'est possible, ma chérie. Son cœur s'est arrêté. Mais il est reparti très vite, tu sais ? Et c'est un homme solide, il va s'en sortir. Il faut lui envoyer toutes tes forces, et ne pas pleurer. Il n'aimerait pas ça. D'accord ?

Valentine parle avec Claude, qui lui explique certainement les mêmes choses qu'à moi. Nous regardons les pompiers s'éloigner, la civière à bout de bras. Ils ont quelques centaines de mètres à crapahuter pour atteindre l'hélicoptère.

Valentine vient vers moi, les larmes aux yeux. Elle ne dit pas un mot. Je la prends dans mes bras sans lâcher Anna-Nina. Nous nous réconfortons à trois. Puis l'hélico décolle dans un bruit assourdissant. Je les serre un peu plus fort contre moi, pour les protéger de ça aussi. Claude a juste eu le temps de savoir dans quel hôpital on le transporte.

J'explique à Valentine le courrier, sa lecture, la manière dont il s'est écroulé, le massage…, et puis l'hélicoptère, juste avant qu'elles n'arrivent. Je lui dis que tout s'est enchaîné très vite, de quoi lui laisser un maximum de chances. Je lui montre la lettre toute souillée de terre et abîmée par des graviers.

– C'est de qui ?

– Aucune idée, je ne l'ai pas lue, je l'ai juste ramassée au milieu de la cohue, mais c'est en la lisant qu'il s'est écroulé.

Anna-Nina s'en va, un doudou sous le bras, elle s'était absentée dans sa chambre un instant. Elle traverse la cour au milieu des pompiers qui rassemblent leur matériel. Elle prend la route qui monte vers le chemin plat. Je suppose qu'elle va à sa cabane. J'essaie de l'appeler, mais elle ne se retourne pas. Elle doit être effondrée. Alors je m'élance, avec un train de retard. Je n'arrive pas à la rattraper, la rage la rend vive et déterminée, elle maintient l'avance. Je la vois bifurquer vers l'arbre lorsque j'arrive sur le chemin. Quand j'atteins enfin le pied du tilleul, je la vois remonter la dernière échelle, qui empêche quiconque de monter sur le dernier plateau, là où la cabane est fermée. Je l'entends sangloter. La pauvre. L'épisode est d'une grande violence pour elle. Elle tient beaucoup à Gustave, comme nous tous, évidemment, mais il y a entre eux cette complicité qu'ils ont su installer. Elle se confie beaucoup à lui. Il la guide avec sagesse. Elle ne peut certainement pas imaginer qu'il lui arrive quelque chose.

J'essaie d'entrer en contact avec elle, mais elle reste silencieuse. Je l'entends frapper très fort avec un bâton sur un montant de la cabane. Elle cogne de toute sa rage. L'arbre encaisse, stoïque. Il doit puiser dans ses profondes racines la force d'absorber cette rage. Puis le son s'arrête. Je vois alors descendre le panier accroché à la corde au bout de la poulie. Un petit mot dedans : « Laissez-moi. Je ne veux pas qu'il meure. Je veux rester toute seule. »

Elle ne bougera pas. Ma fille est dotée d'un caractère solide, et parfois buté. Je n'ai pas de stylo pour lui répondre, alors je positionne mes mains comme un porte-voix autour de ma bouche et je lui crie que je reviens.

Je ne suis pas inquiet, elle est en sécurité là-haut. Et cela la rassure certainement d'être dans cet endroit. Pour le reste, je ne peux ni la rassurer tant que je ne sais pas, ni prendre sa peine. On traverse seul les coups vaches de la vie. Le réconfort de l'entourage n'est qu'une simple caresse sur la superficie, mais le chagrin, la rage sont chevillés en nous, aussi profonds qu'inaccessibles aux autres. Elle veut les vivre seule, je respecte son choix, mais elle sait que je suis là, et que je le serai toujours.

61

Solitaire dans les larmes

Je suis assise à la table de la cuisine, sonnée. Tout est calme autour de moi. Croquette est venue poser sa tête sur le banc. Les pompiers sont partis. La cour est déserte. J'ai ramassé quelques morceaux d'emballage du matériel utilisé pour les mettre vite à la poubelle, satanés vestiges de ce qui s'est tramé ici.

J'ai cette lettre devant moi. Je ne sais même pas s'il l'a lue jusqu'à la fin, mais je comprends que son cœur ait lâché. L'émotion trop forte est venue le faucher. Claude m'a dit qu'il n'était pas nécessaire d'aller le voir, du moins pas dans les deux heures qui viennent. Il est assez confiant, tout est allé très vite, et le cœur est reparti rapidement, mais il ne se prononce pas.

Éric entre dans la cuisine. Il fait le tour de la table et se pose derrière moi. Ses bras m'enveloppent avec une délicatesse infinie, comme pour prendre une de mes pièces d'argile quand elle est encore molle et la manipuler avec légèreté pour ne pas la déformer. C'est moi qui serre ses bras contre mon corps, j'ai besoin de le sentir fort, vivant, présent, j'ai besoin qu'il contienne tous ces morceaux de moi que je vois se détacher sans pouvoir les retenir. Je ne pleure toujours pas, ça ne veut pas sortir, comme si je refusais d'avoir une raison de le faire. D'ailleurs je n'en ai pas, pourquoi pleurer tant qu'on ne sait pas ?

– Anna-Nina ?

– Elle est dans la cabane. Elle est comme son père. Solitaire dans les larmes.

– Elle ne craint rien ?

– Non, mais je vais y retourner. La connaissant, elle risque d'y passer la nuit. Je dormirai au pied du tilleul. Tu me donneras des nouvelles sur mon portable, dès que tu en auras ?

– Oui. J'irai, si c'est utile.

– Et cette lettre, c'est quoi ?

– Sûrement le choc de sa vie. Une très grande joie mêlée à du chagrin. Tu peux la lire.

– Je peux l'emmener ? Je n'aimerais pas laisser Anna-Nina seule trop longtemps.

– Oui, oui. Tiens-moi au courant de comment elle va. C'est fou, Gaël m'a dit qu'elle s'est levée d'un bond et qu'elle a couru vers ma classe sans qu'il comprenne rien. Tu crois qu'elle a pu voir Gustave ?

– Je ne sais pas, ça reste mystérieux pour moi, tout ça, tu sais. Mais je crois qu'il faut l'écouter. Elle souffrirait qu'on ne la prenne pas au sérieux.

– Embrasse-la dès qu'elle redescend.

– Bien sûr.

– Merci Éric. Je crois que tu as sauvé Gustave.

– J'ai fait ma part, comme il le dit si bien.

Mon cher Gustave,

J'espère que cette lettre te trouvera en bonne santé, et que tu ne seras pas trop surpris de la recevoir.

Je suis ta petite sœur, Jeannette.

Je ne sais pas bien par où commencer. Peut-être par cette immense joie, il y a deux semaines, de t'avoir retrouvé. Toutes ces années, même ces dizaines d'années, où j'étais censée te croire mort et où j'étais sûre que tu ne l'étais pas. Je crois que j'ai passé le cap des questions sans réponses. Elles le seront toujours, j'ai enfin réussi à l'accepter.

Nous étions trop petites, Germaine et moi, pour comprendre pourquoi tu étais parti du jour au lendemain, quand nous étions gamines, et surtout pourquoi tu n'étais jamais revenu, pourquoi tu n'avais jamais donné de nouvelles. À cet âge, on se demande toujours si on est coupable de quelque chose. Mais je savais que tu nous aimais toutes les deux. Tu étais gentil avec nous, tu nous racontais des histoires le soir. Et puis, tu prenais notre défense devant papa, quand il s'énervait pour rien.

Je me suis demandé toute ma vie qui était cette femme que tu avais recueillie et avec laquelle tu étais partie. Maman et papa n'ont jamais voulu nous en dire plus. Je ne sais pas si c'était de la colère contre toi, ou de la honte.

Un soir, j'ai entendu papa crier sur maman. Il était revenu d'un passage dans les Vosges. Je n'ai pas tout compris, mais seulement à la fin, ces mots : « Ne me parle plus jamais de lui. » Je suppose, en recollant toutes les pièces du puzzle, qu'il parlait de toi à ce moment-là, parce qu'effectivement, à chaque fois que nous posions la question, il se fâchait, se taisait.

Quand nous avons dû quitter l'Alsace, et tout laisser derrière nous pour partir précipitamment, j'avais envie de te laisser des traces, des indices, dans la maison, pour que tu nous retrouves, mais je ne savais même pas où nous allions. Personne ne le savait. Il fallait juste fuir. C'est peut-être ce que tu avais fait avec cette femme, sans qu'on comprenne pourquoi. Longtemps, je me suis dit que tu avais dû revenir dans notre maison, après la guerre, et que tu avais dû croire qu'on t'avait abandonné.

Je n'ai jamais eu ce sentiment te concernant. Plusieurs fois, à l'adolescence, dans cette période si délicate, et en particulier quand papa est mort (j'avais vingt ans, elle en avait quinze), Germaine m'a dit que tu nous avais laissées tomber. Mais je lui répondais que la vie t'avait trouvé un autre destin que nous, et que la guerre avait bien compliqué les choses. Papa n'aurait probablement pas été quelqu'un de bien, même sans la guerre, mais là, elle a exacerbé son caractère vil. Je comprends que tu sois parti. J'étais trop petite, j'ai dû suivre, m'adapter, et que dire de Germaine, mais en partant, tu t'es protégé de lui, tu as bien fait.

Je ne t'explique pas toutes les démarches qu'il m'a fallu engager pour te retrouver. Des années entières, et parfois j'ai abandonné, je l'avoue.

Tu nous as tant manqué, Gustave. Tu étais notre grand frère, notre phare dans la nuit, auquel nous raccrocher pour suivre notre chemin de petites filles. Nous nous en sommes sorties, nous avons eu un travail, un mari, des enfants, une belle situation, mais il nous a toujours manqué comme un morceau de nous, un morceau de toi, qui était resté là, dans notre cœur, dans notre ventre, dans nos peurs que tu ne venais plus dissiper, dans nos joies que tu ne pouvais plus partager.

J'ai une sclérose en plaques qui m'a pris ma mobilité, je ne peux plus beaucoup me déplacer, mais j'aurais tant aimé te serrer dans mes bras. Je suis sûre que tu n'as pas changé. Tu as vieilli, comme moi, évidemment, mais dis-moi que tu as su garder ton œil pétillant et ton âme d'enfant simple qui s'amusait de tout. Dis-moi que la guerre ne t'a pas gâché, que tu as eu une vie heureuse, que tu vas bien, qu'on pourra se revoir.

Dis-moi que tu nous as aimées, que tu as souvent pensé à nous, que tu nous aimes encore.

Je n'ai jamais cessé de penser à toi.

Je t'aime très fort, malgré les années, malgré une vie séparés.

Donne-moi de tes nouvelles...

Ta petite Jeannette.

62

Ma belle étoile

J'ai dormi comme un loir, malgré la belle étoile. Il y en avait une au sommet de cet arbre, qui veillait sur moi. Je suppose que les événements d'hier m'ont vidé de toute mon énergie. J'ai dû me concentrer à l'extrême pour réfléchir à chaque geste, chaque décision. Et finalement je n'ai pas réfléchi, tout s'est enchaîné instinctivement. C'est le bruit de la poulie qui me réveille. Un petit panier est descendu. Sûrement avec un message. Je me lève pour le chercher.

«J'ai un peu faim. Je t'aime papa.»

J'ai emmené un stylo avec mon sac de couchage, je savais qu'elle voudrait communiquer ainsi. Quand elle fuit dans son monde aussi violemment qu'hier, elle ne revient qu'avec beaucoup de retenue, comme un petit animal blessé qui vérifie cinquante fois qu'il peut sortir de sa cachette.

«Je file chez Valentine. Je te ramène à manger, et de bonnes nouvelles, j'en suis sûr.»

La maison est silencieuse. Valentine doit dormir. Je monte à l'étage et j'ouvre sa porte sans bruit. Elle dort paisiblement. La connaissant, elle n'a que peu dormi et elle se rattrape au petit matin. Elle ouvre les yeux et me sourit, juste avant que des larmes viennent les faire briller.

– Tu as de mauvaises nouvelles ?

– Non. C'est juste trop d'émotions. Je suis fatiguée.

– Tu as des nouvelles tout court ?

– Tard, hier soir, je ne voulais pas te réveiller. Claude a eu le chef de service. Gustave était stable. C'est trop tôt pour se prononcer. Ils l'ont mis en coma artificiel pour l'économiser mais ils étaient très étonnés par ta réanimation parfaite, et par la force de Gustave.

– Il a fait la guerre du bon côté, il est donc résistant.

– Et toi ? Comment tu as su faire ça ?

– Moi ? Je me promenais seul sur les routes de France avec ma petite princesse et sa vie entre mes mains. Alors je me suis formé. Et ce défibrillateur, je me suis dit que ça pouvait être utile. Il devrait y en avoir partout. Depuis la mort d'Hélène, j'essaie de parer à toutes les éventualités sur lesquelles je peux agir. Je ne pouvais pas supporter l'idée de faire un arrêt cardiaque sous les yeux d'Anna-Nina et qu'elle ne puisse rien faire. Je lui ai appris à s'en servir, et c'est son Gustave que la machine a sauvé.

Nous entendons frapper au carreau de la cuisine. Valentine se redresse et cherche son T-shirt. J'aperçois l'un de ses seins qui dépasse de la couette. J'ai envie d'elle, de vie, de plaisir, pour conjurer la mort qui a rôdé trop près hier.

Sébastien attend sagement derrière la porte de la cuisine. Croquette le regarde de l'intérieur en remuant la queue.

– Mon père m'a dit qu'il s'était passé quelque chose, il a vu l'hélicoptère et les pompiers chez vous. C'est pas Anna-Nina, hein ?

– Non, c'est Gustave qui a fait un petit malaise. Mais tu tombes bien, tu vas venir avec moi. Peut-être que toi, elle t'écoutera.

– Qui ça ?

– Eh bien, Anna-Nina ! Elle a dormi dans l'arbre. Elle a eu très peur pour Gustave et ne voulait voir personne.

– Je ne sais pas si elle va m'écouter.

– Débrouille-toi, mais fais-la descendre, elle sera mieux avec nous.

Nous partons avec le panier dans lequel j'ai mis du pain, du beurre, de la confiture, du jus de pomme et du chocolat pour trois. J'ai faim, moi aussi. Nous croisons Gaël en traversant la cour. Il pourra préparer le petit déjeuner pour Valentine, qui doit déjà être au téléphone avec Claude.

Je garde un peu de pain, une barre de chocolat, avant que Sébastien ne monte avec le panier. Je mangerai en les attendant. Il doit connaître la formule magique car, arrivé au deuxième palier, l'échelle descend vers lui. Je le vois la monter, et immédiatement, celle-ci se rétracte dans son logement. Je décide de me replonger dans mon sac de couchage. Les bruits du matin sont déjà nombreux. Des oiseaux, des insectes, le son du vent dans les feuilles. Il se passe un moment avant que ça remue dans l'arbre. Je crois même que je me suis endormi.

C'est Sébastien qui descend le premier, puis il laisse passer Anna-Nina sur le deuxième palier, avant de verrouiller la trappe de la cabane avec sa clé. Seule ma fille a le double. Ils l'ont toujours autour du cou. La clé de leurs secrets, et de leur liberté. Je tends les bras à ma fille, quand elle arrive enfin. Elle y saute et me serre fort. Nous ne faisons plus qu'un.

– Pardon, papa, je t'ai fait dormir dehors.

– Et alors ? Ça m'a rappelé nos nuits à la belle étoile. Là, c'était toi, ma belle étoile. Tu as au moins dormi ?

– Oui. Mais je me fais du souci.

– Il va plutôt bien. Il fait un gros dodo, et les médecins devraient bientôt le réveiller.

– Il sera comme avant ?

– Ça, je ne sais pas encore. Mais c'est un solide, Gustave. Je suis sûr qu'il sera vite sur pied. On va câliner Valentine ? Elle en a besoin aussi, tu sais ?

63

Visites autorisées

C'est un dimanche matin étrange. La première fois qu'Éric reste avec moi toute la nuit, ici, dans la maison. Nous n'avons pas fait l'amour, je n'avais pas le cœur à cela. Même si les nouvelles que Claude m'a données hier soir étaient plutôt bonnes. Gustave s'est réveillé brièvement, avant de replonger dans un sommeil naturel. Il ne semblait pas trop désorienté et se souvenait de ce qui s'était passé, vaguement. Les médecins restent étonnés. Ils ne parlent pas de miracle, mais de cas exceptionnel. Gustave est de toute façon un cas exceptionnel. Et puis, ils ont répété que les gestes précis d'Éric, la réanimation immédiate, l'avaient probablement sauvé.

Éric est allé passer la tête dans la chambre d'Anna-Nina qui dort à poings fermés. Il en a profité pour faire un saut à la salle de bains, où je l'ai entendu se rafraîchir un peu. Je descends discrètement un étage pour faire de même. Je suppose qu'il a quelques idées derrière la tête et ce matin, mon désir reprend vie.

Je suis la première de retour et je fais semblant de n'avoir pas bougé. Il m'embrasse à pleine bouche, m'empoigne les fesses. Je le sens vigoureux, le regard décidé. Mais il me caresse longuement, avant d'introduire son doigt délicatement au fond de moi. Puis un deuxième. Je ferme les paupières. Le plaisir monte, avant d'être stoppé net par une douleur vive mais furtive dans le bas-ventre. Je sursaute en écarquillant les yeux, l'interrogeant du regard. Il brandit alors mon stérilet qui se balance au bout de son fil.

Je ne peux m'empêcher d'éclater de rire. Un rire de surprise, un rire d'envie, le rire de me dire que l'homme qui partage mon lit vient de décider qu'il voulait un bébé.

– Tu es sûr ? demandé-je quand même.

– Tout le monde a besoin de vie ici, Gustave, Anna-Nina, toi...

– Et toi ?

– Moi aussi. Je me dis que l'existence est trop fragile pour tergiverser. Elle ne tient qu'à un fil, et ce fil, j'ai envie de tirer dessus pour voir tout ce qu'il nous réserve de beau. Ça te tente ?

Et dire que durant ce week-end de trois jours, j'avais prévu de jardiner tranquillement avec Gustave. Le destin joue parfois des tours, et nous n'avons d'autre choix que de nous laisser porter.

Nous avons fait l'amour. Puis Éric s'est levé. Anna-Nina le réclamait. Ils sont descendus préparer le petit déjeuner. Je reste couchée, la main sur le ventre, mes pensées vers Gustave. Des pensées pleines de force, pleines de rage, et pleines d'une envie folle de le voir revenir.

Un message de Claude me fait me lever d'un bond :

« Visites autorisées. »

64

Et faire sa part

Gustave est rentré de l'hôpital une semaine après son malaise. Il ne tenait plus en place, il a négocié. Il ne serait pas seul chez lui, un ami médecin se trouvait à proximité, et tous les bilans étaient bons. Il a donc obtenu qu'on le laisse rentrer, avec le passage d'une infirmière à domicile, pour prendre ses constantes et pour l'aider un peu dans ses gestes quotidiens.

Gustave loin de sa cuisine, loin de son jardin, c'est comme une fleur en pot qu'on oublierait d'arroser, il se flétrit. Il a retrouvé sa famille, celle qu'on a fabriquée cette année, et qu'il a vue grossir au fil des semaines. D'abord Anna-Nina et moi, ensuite Gaël et enfin Sébastien. Il s'est attaché à tout ce petit monde qui n'était pas du sien. Il s'assoit sur une chaise de camping un peu partout dans le jardin et nous regarde travailler. Parfois il prend un outil, pour gratter un peu, et puis il se rassoit, rapidement fatigué.

Anna-Nina lui a raconté son passage furtif devant elle, et le fait qu'elle savait. Il ne s'est pas trop étalé, mais il se souvient m'avoir vu le masser, puis une grande lumière avant un choc violent et là, le noir complet, jusqu'à son réveil à l'hôpital.

Ma fille a été secouée par cet événement. Elle a touché du doigt les malheurs de la vie, elle qui en avait été épargné jusque-là. La mort de sa maman, elle la vivait à travers moi, pas au nom de sa propre entité.

Elle est longuement restée dans ses bras, la première fois où nous sommes allés le voir à l'hôpital. Elle s'était allongée à côté de lui, et il lui caressait doucement les cheveux, les yeux fermés. J'ai compris ce jour-là que je n'étais plus sa seule référence d'amour. Ils comptaient fort pour elle, et j'étais soulagé. Un poids s'est enlevé de mes épaules endolories d'avoir passé sept années à lui être exclusif. Elle pouvait se tourner vers d'autres points d'appui, et moi, je pouvais repenser un peu à ma propre vie, et donc à un bébé.

J'aurai peur, je serai même terrorisé que l'histoire se reproduise, que tout m'échappe et que je ne puisse rien faire, mais on ne fait plus rien si la peur nous domine, c'est ce que j'essaie d'apprendre à ma fille, je me dois de lui prouver que ce que je dis est vrai.

C'est un samedi de juin doux et ensoleillé. Les jours sont les plus longs et nous comptons bien en profiter. Nous avons prévu un feu de camp tout en haut du mont Saint-Jean. Saucisses et chamallows grillés, guitare et couvertures. Gustave nous accompagne, nous l'avons transporté dans sa carriole. Il est bien installé sur une chaise pliante.

Nous avions invité le père de Sébastien, mais il a décliné.

Nous avons joué un peu de guitare, Gaël a improvisé un solo de batterie sur les boîtes en plastique qui contenaient les salades. Nous avons ri, chanté. Les enfants sont partis à l'aventure dans le noir, loin des braises et des flammes qui éclairaient leurs yeux. Ils se sont bien trouvés, ils se fabriquent une histoire, des souvenirs d'enfance joyeux à ranger dans un coin de leur mémoire. Même s'ils se perdent de vue en devenant adultes, ce sera là, personne ne pourra effacer ces moments de bonheur partagé à courir dans la nuit, à se cacher dans une cabane perchée en haut d'un arbre, à lire sous un tipi…

Valentine est lovée entre mes jambes. Elle soupire. L'année écoulée a été vive en émotions, je la sens fatiguée. Fatiguée mais sereine. Des idées de bébé dans la tête, comme s'il n'y avait plus que ça qui pouvait s'y loger. Je la freine chaque jour dans ses attentes et ses craintes. « Laisse venir… » Nous jouons avec un long bâton dans les braises rouge et noir. Il reste un peu de bois dans la charrette. Gaël se lève pour en ajouter.

C'est en se rasseyant qu'il nous annonce qu'il part. Il ne sait pas trop quand. Sûrement début juillet. Il a demandé une année sabbatique. Il a besoin de se trouver, de se comprendre, d'accepter son image. Besoin d'être face à lui-même, seul.

Il veut aller à pied jusqu'en Bretagne.

– La Bretagne de Colleen ? demande Valentine.

Oui, cette Bretagne-là. Ils s'écrivent chaque semaine depuis qu'elle est partie, parfois les lettres se croisent sans s'attendre. Toutes ces choses lumineuses qu'ils ne cessent de découvrir entre eux. C'est beau, c'en est touchant. Gaël en est troublé.

– J'ai besoin d'y aller à pied, pour éprouver mon corps, et arriver là-bas en sachant vraiment qui je suis. Et on verra bien si elle veut de moi. Il y a trop d'évidences entre nous, trop de sublime simplicité pour que je la laisse partir sans avoir essayé.

Un silence s'installe, juste le crépitement du feu, le cri des enfants dans la nuit. Ils jouent, et nous aussi. La vie est un grand jeu, on y pioche quelques cartes, on choisit les meilleures, on garde les atouts. Ma carte joker a été un orage, celle de Gaël est un départ. Valentine attend la carte bébé. Gustave s'est retiré, il a posé son jeu, il nous regarde faire en nous expliquant quelques règles, quelques astuces que la vie lui a apprises : vivre l'instant et faire sa part.

Vivre l'instant et faire sa part.

65

Sur le tour et la terre

Il a repris un chantier dans le village, sur l'autre versant. J'entends encore le bruit, la hache qui cogne, la machine qui ronronne, mais il remue chez moi celui de la mélancolie. Quand je repense à lui, cela m'arrive souvent, je sens une petite flamme au fond de moi. Elle est discrète, ne brûle plus, elle chauffe les alentours et réveille l'énergie qui pourrait s'endormir. Je me demande parfois, si j'avais poursuivi, où tout cela nous aurait menés. Il reste et restera cette part d'incertitude. Ne pas aller au bout d'une histoire laisse toujours un goût d'inachevé et l'amertume du mystère. Mais j'ai suivi le conseil de Gustave, décidé de dire non et j'ai aimé qu'Éric ne me demande rien, ce soir de février, quand mes larmes coulaient sur le tour et la terre. Peut-être savait-il ou alors ne le voulait-il surtout pas. Ce soir de renoncement il m'a offert d'être là et c'était ça le plus important.

Aujourd'hui, dans mon ventre, le frisson du désir sans maîtrise a cédé sa place à l'espoir d'un bébé. Là sont mon énergie, ma puissance, mon envie. Le reste, je l'oublierai. Et si je n'oublie pas, j'ai au moins cessé d'en souffrir.

Je prends encore parfois la sphère en bois dans ma main, je ferme les yeux, et je me dis que j'ai fait de mon mieux.

Ma petite Jeannette,

Ta lettre m'est allée droit au cœur. J'ai mis un peu de temps à m'en remettre, mais quelle magnifique surprise.

Je n'ai jamais cessé de penser à vous. La vie a décidé de mon destin ce jour-là, devant la Kommandatur, et je n'ai pas pu résister. Quelque chose, une force, une voix, me disait que ma place était auprès de cette femme, Suzanne. Mais j'ai eu le cœur déchiré de devoir vous laisser derrière moi. Je m'en suis voulu de vous abandonner, et de ne plus rien savoir ensuite. Quelle vie aurais-je eue sinon ?

Tu me demandes si j'ai été heureux. Alors oui, j'ai eu une belle vie, pas forcément celle que j'attendais. Peut-être aurais-je préféré me marier, avoir des enfants, mais j'ai eu Suzanne et des enfants à travers elle. Elle n'est plus là, mais je profite désormais de chaque jour en compagnie de sa petite-fille qui me considère comme son grand-père.

Voilà un an, une nouvelle petite troupe s'est constituée autour de nous, de façon un peu improbable, mais le résultat est savoureux. Je me sens utile, et respecté, et aimé, et tranquille. Oui, tranquille. C'est bien comme sensation, pour couler de vieux jours paisibles. Je crois que je n'ai pas perdu cette âme d'enfant que tu espères trouver encore chez moi. Je n'ai jamais perdu non plus l'amour que j'avais pour vous. Je suis retourné devant notre maison un peu après la guerre. Une nouvelle famille y habitait, ils ne savaient rien de vous, ni les voisins, ni personne dans le village. Je ne savais pas où chercher. Ou peut-être avais-je peur de vous retrouver. Je serais revenu avec tout le poids de ma culpabilité.

J'ai toujours la photo du buffet, celle où nous sommes tous les trois, insouciants, souriants, dans l'instant, comme dit ma Valentine. On ne lit pas encore dans nos yeux les blessures de la guerre et nos avenirs déchirés.

Je la regarde tous les soirs et tous les matins. Et chaque soir, chaque matin, elle me rappelle de revenir vers ça, vers l'insouciance, vers l'instant, avec le même sourire, sans penser à demain.

Certains liens du cœur résistent au temps, à la distance, à l'adversité, à l'oubli. C'est le cas avec Germaine et toi, tu sais…

J'ai besoin d'encore un peu de temps pour résoudre un petit souci de santé et reprendre quelques forces, mais je te promets de tout faire pour venir vous voir.

En attendant, donne-moi des nouvelles de notre petite sœur Germaine, et puis, de tes nouvelles...

Je t'embrasse,
Gustave

L'avenir tout tracé prend parfois la tangente...

Et peut faire se croiser deux lignes parallèles
qui auraient dû le rester.

Merci…

À Franck pour sa confiance et ses confidences.

À Jennifer pour sa terre, son tour, son four, ses conseils et son sourire.

À Bénédicte et Philippe pour leur accueil chaleureux, là où je vais m'inspirer de la mer et du sable.

À l'équipe d'Albin Michel pour son accompagnement si bienveillant.

À Jacques pour sa poésie des arbres.

À mon père pour être ce père-là.

À Emmanuel pour sa patience et son amour.

À mes enfants pour ce qu'ils m'apprennent de la vie.

Enfin, à Olivier qui a su voir, savoir, me dire, m'encourager et sans qui ce livre n'aurait pas été.

DU MÊME AUTEUR

Aux Éditions Albin Michel

JUSTE AVANT LE BONHEUR, prix des Maisons de la Presse, 2013.
PARS AVEC LUI, 2014.
ON REGRETTERA PLUS TARD, 2016.

Chez d'autres éditeurs

MARIE D'EN HAUT, Éditions Les Nouveaux Auteurs, 2011, Éditions
Pocket, 2012, Coup de cœur des lectrices du prix *Femme actuelle*.

www.agnesledig.fr

Composition : IGS-CP
Impression en février 2017
Éditions Albin Michel
22, rue Huyghens, 75014 Paris
www.albin-michel.fr
ISBN : 978-2-226-39635-8
N° d'édition : 22572/01
Dépôt légal : mars 2017
Imprimé au Canada chez Marquis imprimeur inc.